古都

朱天心

目次

匈牙利之水

古都

〈古都〉・廢墟・桃花源外　　　　　　　唐小兵

附錄

《古都》得獎紀錄

《古都》相關評論及訪談索引

朱天心作品出版年表

新版序

朱天心

這篇《古都》二〇二四版序文，一兩個月來我數易其稿，像那希臘羅馬神話中的佩妮羅佩織壽衣，織了拆，拆了織……，只為拖延並等待那隨希臘聯軍遠征特洛伊的丈夫奧德修斯返家。

我並沒有奧德修斯可等待，只覺如今所能說的、想說的，其實在《古都》完書以及印刻二〇〇二版自序中已說得不能再多一字。

昔時，像國王新衣的那白目小孩，喊出好叫人困窘的「不方便的真相」；也像那特洛伊木馬入城前夕、瘋婆子般大聲疾呼示警的卡珊德拉，她以阿波羅賜予她的預見未來的神力喊出所預見的未來，屠城、殺戮、廢墟。

當然，都沒被採信。

那時候的天空藍多了，藍得讓人老念著那大海就在不遠處好想去……

那時候的體液和淚水清新如花露，人們比較願意隨它要落就落……

那時候的人們非常單純天真，不分黨派的往往為了單一的信念或愛人，肯於捨身或赴死。

那時候的樹，也因土地尚未商品化，而得以存活得特別高大特別綠，像赤道雨林的國家。

那時候鮮有公共場所，少年的只好四處遊蕩猛走……

那時候的夏天夜晚通常都看得到銀河和流星，望之久久便會生出人世存亡朝代興衰之感，其中比較傻的就有立誓將來要做番大事絕不虛度此生。

……

—— 《古都》

那時候，耿耿一念的認同／不認同（還不合時宜的妄想提出「不認同的自由」），顯然近三十年後的眼下愈演愈烈，也許說穿了，一切只是我害怕，我／我輩／我族生於斯長於斯逝於斯的記憶和痕跡，不被意志滿滿的當下歷史主流論述所留下。

大勢底定，步向暮年的我，如何再看待「那時以為自己好兇猛，如今看來真是悲傷和優雅」的《古都》書寫？

我會比較素樸的借用葛林在《哈瓦那特派員》中的句子：是的，一座城市，對你來說，其實就只是那幾個人、那幾條街、那幾家店，當這些都不在了，這就是個全然陌生的城市了，該離開了。

該離開了？

老靈魂前世今生——朱天心的小說

王德威

也許是千百年後吧。文明升沉，萬事播遷，五洲板塊又是幾度震盪後，有個曾叫台灣的島嶼依稀殘存。朔風野大，天地洪荒，早已闃無人煙的古都台北，或還殘存當年一二繁華遺跡？沿著昔日總統府、二二八紀念公園舊址行來，荒煙迷漫，鬼聲啾啾。掘地三尺，哪還有半點屍骸。倒是千百頁尚未腐化淨盡的斷簡殘編，成為對某個世紀書市文化的最後見證。

一陣腥風吹起那些書堆，劈劈啪啪，你彷彿聽到陣陣歌哭之聲：「昨日當我……」、「想我……」、「我記得……」。是老靈魂的聲音嗎？穿過死生大限，它還是陰魂不散！世事混沌不清，世事又全如所料。在歷史廢墟間，老靈魂彳亍徘徊，不忍離去——一切早都關燈打烊了，它還在摸黑找些什麼？

自八○年代末期以來，小說家朱天心開始營造她的老靈魂世界。閱人述事，洞

若觀火，筆調則如此老辣蒼涼。從《我記得……》到《想我眷村的兄弟們》，再到新作《古都》，朱的創作量不能算多，但每次出手，必然引起議論。讀者或為她的題材側目不已，或為她的「論文體」敘述嘖嘖稱奇。但最不可思議的，還是她率團登場的老靈魂人物。老靈魂來自各行各業，窮通塞達不等，但個個「先天下之憂而憂」。他（她）們悸懼衰老與死亡，卻有窮究老與死的興趣。他（她）們看來對一切都不在乎了，卻比誰都更在乎一切。在朱天心的指揮下，老靈魂滲透你我之間，散播末世消息。人家希望、快樂，老靈魂暗自神傷；人家心靈改革，老靈魂心亂如麻。這真是群殺風景的人物。

而朱天心自己也是個老靈魂嗎？小說家和她的人物真的對號入座嗎？也不過就是十多年前吧，朱天心憑著《擊壤歌》、《方舟上的日子》等作，頌讚青春，風靡多少學子。幾番周折，她竟拋棄同輩讀者（如我等），決心先自行老去。但她老得並不徹底，她還有話要說。過分老於世故的人其實寫不出像〈想我眷村的兄弟們〉、〈匈牙利之水〉這樣的作品。是犬儒，也是天真，朱天心的作品因此形成一種風格的時差。這也許可作為我們進入她「老靈魂學」的一個門徑。

一、與歷史怪獸搏鬥

朱天心作品最重要的特色是對時間、記憶，與歷史的不斷反思，而她老靈魂式的角色成為啟動此一反思行為的最佳媒介。老靈魂生年不滿半百，心懷千歲之憂。他（她）們知道太平盛世其實隱藏了無數劫毀的契機，也驚訝在死生大限之前，凡夫俗子竟能活得如此渾然無知覺。今朝歡樂，明朝枯骨，生命的必然與偶然，不就是一線之隔。虛空的虛空啊，一切的貪嗔怨，總要歸於徒然。老靈魂獨探死生的幽微邏輯，夙夜匪懈，且啼且笑，於是有了不能已於言者的衝動，有了書寫的欲望。

論者可以輕易指出，老靈魂的憂慮就算事出有因，畢竟是有閒階級的玩藝兒。芸芸眾生未必真傻到不知生老病死，然而眼前的「近憂」都照顧不來了，還談什麼遠慮？朱天心的人物都犯了一個毛病——杞人憂天。朱天心要不以為然了。她可反駁她的老靈魂其實個個胸無大志；他（她）們所關心的就是眼前的芝麻綠豆。一般人自謂看近難看遠，說穿了，看得還是不夠近。誰能想像這一分鐘的家常，埋藏了下一分鐘的什麼靈耗？老靈魂事事關心，事事擔心，他（她）們活得好累，也是不可救藥的現實主義者。

朱天心折衝於最細密的現實關懷，以及最迂闊的生死憂思間，形成了她作品中的一大弔詭。照道理說，已經看到死亡另一面風景的老靈魂，還有什麼心情斤斤計較浮世人生？但我以為這一弔詭是她敘事風格的基礎，也與她想像歷史的方式息息相關。看她的作品，尤其像〈預知死亡紀事〉及〈拉曼查志士〉等，不由你不覺得她筆下人物憂生憂死，已跡近妄想狂的徵兆。「人有旦夕禍福」真是他（她）們的座右銘。有幸死得其願、死得其所的人畢竟太少。為了「走得」乾淨，老靈魂們上自生辰八字，下至內衣內褲都得事前交代打點。但欲潔何曾潔，只怕生命中的瑣碎讓我們活得謹小慎微，死得也不明不白。〈「預知」死亡紀事〉，顧名思義，已充滿自我解嘲玄機。死亡如果是一了百了，哪由得我們預知後事？生命是如此嬗遞紊亂，怎能敘述紀事？老靈魂是在打一場看不見敵人的仗，其虛張聲勢處，恰如四百年前的唐·吉訶德一般。

朱天心及她的人物一方面苦於世事無常，一方面又貪婪的吞吐千百種過眼資訊，成為一種文字反芻奇觀。讀者或要為她益趨漫漶的風格所苦，因為她愈來愈不能講個一清二楚的故事。但換個角度，朱天心放棄傳統定義的故事性，幾乎是理所當然的事。藉此她反可能過近現實無明也無常的面向。她的瑣碎議論姿態成為對抗歷史大說的方式。所謂本末倒置於她或有新解。當事物的「本」已無所可本，我

古都

012

們所能有的也只是枝微節末。正因為朱及她的人物意識到大歷史的了無理性，他（她）們對生活的細節，對記憶的縫隙，愈發變本加厲的摩挲思辨。

在這一方面，朱天心讓我們想到了張愛玲——儘管張可能是她雅不欲再有輘輷的家傳祕方。想想張的名言：

在時代的高潮來到之前，斬釘截鐵的事物不過是例外。人們只是感覺日常的一切都有點兒不對，不對到恐怖的程度⋯⋯為要證實自己的存在，抓住一點真實的、最基本的東西，不能不求助於古老的記憶。[1]

張愛玲素以惟妙惟肖的模擬技巧，贏得口碑，事實上她勝於一般寫實作家之處，更在於她從不把現實視為當然。她的白描工夫與其說建構紙上現實，不如說因其過於精密尖銳，因而粉碎了我們居之不疑的現實觀。朱天心的風格並不近於張，但在想像大難當前，「苟且偷安」的方法上，居然與祖師奶奶仍有若合符節之處。

1 張愛玲《流言》，《張愛玲全集》（台北：皇冠，一九九五），頁一九。

二、我記得什麼？

言歸正傳，朱天心創造老靈魂的過程，究竟十分曲折。由於家學淵源，十來歲的朱已頗有大將之風。再加上老牌才子胡蘭成的點撥，下筆行文在在令人驚豔。《擊壤歌》所煥發的率性浪漫，不啻是鹿橋《未央歌》的一脈真傳，而朱天心那樣「隨便」的就念完北一女，還成了台大人，真讓我輩嘆為觀止。與此同時，朱參與《三三集刊》活動，詩書天下，禮樂江山，好不熱鬧。她的軍眷家庭背景當然也對她多有影響，天地正氣到國家主義再到兒女英雄，一種緊密內爍的生活形式及信念，於焉興起。

然而才女終將長大，時光難再倒流。早在大學時期，朱天心已兀自在思考著生命無可奈何的變數。像《未了》、《時移事往》、《昨日當我年輕時》這些篇目名，都宣示了她對感情、身分、年歲的焦慮——儘管她急切的言志傾向，每每使作品讀來造作。然後她推出了《我記得……》（一九八七），以一系列犀利諷刺的故事，為老靈魂式角色畫下雛形。

《我記得……》後十年間，朱天心除了創作，也淺涉政治活動。她的改變，竟與台灣從戒嚴到解嚴，從一黨到多黨的時刻表相互輝映。批評家樂得就此大作

文章。或強調朱因族群、政治信仰認同的危機，由青春浪漫變得辛辣保守（詹愷苓）；或指出她一向追求主流以內的政治正確，面臨九〇年代的眾聲喧嘩，不免無所適從起來（何春蕤）；或批評她的性別意識過於畫地自限，間接反映她國族認同上的故步自封（邱貴芬）²。這許多研究中，黃錦樹的專論〈從大觀園到咖啡館〉最為可觀。仔細爬梳朱的作品後，黃寫出朱的創作時空及風格上的巧妙互動，以及她投身、記錄及批判社會動態中的特徵。黃錦樹更提醒我們胡蘭成當年對朱的評價及期許，從而見證朱與她胡爺爺間頗見張力的對話關係³。

這些評論不乏中肯意見，但也有一二聲音過分依賴當今的政治及理論立場，對朱訓勉有加。評者的讚彈，朱盡可嗤之以鼻：小說的可讀性與否，與政治或文學理論正確性多寡，其實沒有必然關係。意識形態最保守的作家（如杜斯妥也夫斯基）

2 詹愷苓（楊照）〈浪漫滅絕的轉折——評朱天心小說集《我記得…》〉，《自立副刊》，一九九一年一月七—八日。
何春蕤〈方舟之外：論朱天心的近期寫作〉，《中國時報·人間副刊》，一九九四年一月一日。
邱貴芬〈想我（自我）放逐的兄弟（姊妹）們：閱讀第二代外省（女）作家朱天心〉，《中外文學》，二二五（一九九三），頁一〇五。

3 黃錦樹〈從大觀園到咖啡館——閱讀／書寫朱天心〉，收於龔鵬程編《台灣的社會與文學》（台北：東大圖書，一九九五），頁三二五—五七；亦參見本書頁二三五—八一。

可以寫出最激進的作品，何況台灣這年頭左右統交投熱絡，誰激進、誰保守，還有待下回分解。朱對歷史的不確定性念茲在茲，這幾年政壇學界的怪態早就是她下筆的好材料（如〈佛滅〉、〈我記得……〉）。面對衝著自己來的「歷史」評價（包括本文在內），大可以自謔謔人的方式，好好分析一番。

我的問題在於，不管怎麼看朱天心的前世今生，多數評者的立論皆止於單線史觀，他（她）們以朱前期的青春純真對照後期的世故潑辣：或以前期的天父國父師父（胡蘭成）三位一體對照後期的「去聖已逸，寶變為石」。朱天心的創作歷程因此成為一則墮落與成長的故事，一則失樂園式的神話。自詡前衛的評者尤其不耐朱的頻頻回首姿態；歷史裂變之後，她似乎愈來愈舉足維艱了。對這些批評，朱也曾切切以小說或評論形式，有所辯解。奇怪的是到目前為止，她的反駁同樣落在起承轉合的邏輯裡，以致與她的「敵人」形成五十步與百步的拉鋸。

我同意多數評者的看法，認為朱天心在八〇年代末期經歷了題材與風格的斷裂，但卻以為這一裂痕的前因和後果，不見得如此清楚明白。我更以為朱天心所創造的老靈魂人物隱含了繁複的時間、記憶線索，而作為創作者，朱仍然低估了這些老靈魂的潛力。對那些嘲笑她不夠民主前進的人，朱天心可以幽幽的嘆道：在歷史的進程裡，她與她的老靈魂正如班雅明（Walter Benjamin）的天使一樣，是以背

古都

016

向，而非面向，未來。他（她）們實在是臉朝過去，被名為「進步」的風暴吹得一步一步的「退」向未來[4]。不僅此也，只要歷史與記憶代表著一種人為的時間座標罷了。

錄，過去與未來總是不斷分殖增減，任何可見的裂變，也不過是權宜的時間座標罷了。

如果老靈魂真如朱天心所謂，可以預言休咎，那是因為他（她）們對往事看得太細太多。如果老靈魂逃避歷史，那是因為未來的變數使他（她）們無從對過去遽下論斷。細心看來，朱天心這幾年的小說不僅僅在重複追悼一種歷史而已。她每一則有關老靈魂的故事都挖掘出我們記憶過去，構想現實的又一斷層。最顯而易見的，她寫反共復國迷信的消失，革命建國神話的興起（〈十日談〉、〈想我眷村的兄弟們〉），並驚異於剛破除迷信的人怎又製造神話。在國家論述外，朱為不同族群、性別、行業追尋歷史，形成一種人類學式的總匯[5]。任勞任怨以致不成人樣的媽媽（〈袋鼠族物語〉），暗通款曲的女同性戀（〈春風蝴蝶之事〉），心口不一的社會良心分子（〈佛滅〉），時有非分之想的安分小民（〈第凡內早餐〉），

4 Walter Benjamin, *Illuminations*, trans. Harry Zohn（New York: Schocken, 1969），pp. 257-258.

5 黃錦樹，同註3，頁三三四—四五。

當然還有江湖老去的眷村少年（〈想我眷村的兄弟們〉）。每種「人類」都有他們的譜系。不應，也不能，化約為一簡單的歷史敘述。

而當這些類別的人物相互交錯，他（她）所構成的繁複動線，才讓我們更驚異於朱天心的駁雜史觀。想想袋鼠族媽媽如何有朝一日可成為半吊子股票族及政治族（〈新黨十九日〉），或良家婦女如何在累積雜物的過程中（〈鶴妻〉），可能與那個雜貨店老闆兼戀童癖者互通有無（〈去年在馬倫巴〉）。這些角色各有各的生存軌跡，卻都從無意義的交會甚或交易中形成自己身分的認知。朱天心應會慨嘆，歷史何嘗不是一種附加價值，一筆多餘的開銷（surplus value），只是所交易的項目因人而異。知識分子或許隱隱感到自己的不誠實，但賺到手的利益怎能拱手讓出？〈佛滅〉中的反對運動菁英其實是最精明的投資者，一句「我存在，因為我反對」恰似政治活動的賣點，文化理論的明牌。而〈我記得……〉中的廣告商只有在命危時，靈光一現的記得往日烏托邦式政治寄託。

從政治到廣告，從歷史到雜碎，識者或要詬病朱天心的犬儒尖誚。然而唯其如此，朱顯示出她的眼光與眾不同。主流的歷史是選擇性記憶過去的歷史，或說穿了，是遺忘（絕大部分的）過去的歷史——國、民兩黨紀念二二八的方式其實有異曲同工之妙。當大家急於為過去翻案或定案時，像朱天心這樣的作者貿貿然跑出來

喊一聲「我記得」，難怪要干犯眾怒。她記得我們應該忘卻的，想起我們不願或不敢記得的。由是觀之，〈去年在馬倫巴〉的拾荒者／雜貨販子角色，真是她老靈魂的原型人物，而她偽百科全書式的敘事方法，實在是良有以也。

朱天心最近的作品更變本加厲，強調我們的記憶不只憑藉知識經驗，也憑藉感官本能——像是嗅覺與聽覺（〈匈牙利之水〉）、視覺與味覺（〈古都〉）——的觸發。歷史是時間也是感官之旅。在這方面，她的前驅是寫《追憶似水年華》的普魯斯特（Marcel Proust）。容我再套用班雅明論普魯斯特的例子。普魯斯特追憶往事的方式與眾不同：他大白天也蜷縮在陰暗的房子裡，點滴凝聚散亂（或記得）往事的方式與眾不同：他大白天也蜷縮在陰暗的房子裡，點滴凝聚散亂的往事。荷馬史詩《奧德賽》（Odyssey）中的奧底修斯離家二十年沒有音信，他的妻子琵那洛琵為了退卻眾多伺機求婚者，以織完手中布匹為藉口。她於是白天織，晚上拆，夜以繼日，延宕承諾。普魯斯特追憶往事恰似琵那洛琵織布一樣。不同的是，他白天拆，晚上織。表面漫無章法的敘述，暗地自有道理可循[6]。朱天心的「我記得」是在這一白天拆、晚上織的層次上，將過去的可能與不可能偷偷結成一氣。

我們再回到前述朱天心的意識形態是否前進或後退，或創作風格是否統一或斷裂的爭議上，才能了解這些評判仍有其局限。當老靈魂告訴我們歷史永恆埋藏裂變，進步也是退步，我們又焉知她自己創作史上的分裂不是統一，保守不是激進呢？沒有前期的〈未了〉，哪裡來後期的〈想我眷村的兄弟們〉？寫女同性戀的〈春風蝴蝶之事〉，未嘗不讓我們記起《擊壤歌》中的同學姊妹情深。朱天心對政治的疑慮，恰是當年她對政治的信念的一體兩面。三三時期的她熱烈擁抱青春，漸入中年的她提早頌讚衰老，骨子裡的認真張致卻是一如既往。而老靈魂坐立難安的處處危機論，與胡蘭成「大自然的五基本法則」中的處處轉機論，竟似源自同一神祕主義的辯證。我為朱天心記起她（可能）願意忘記的，無非強調她老靈魂哲學的無孔不入，終將以蝕毀她自己為自己營造的立場，作為終結：老靈魂的勝利就是失敗。

我曾在前此的書評中稱呼朱天心是「老靈魂裡的新鮮人」，因為看到她與她人物間畢竟有所差距[7]。面對歷史亂流，朱天心還是有太多話要說，也還嚮往一個清楚的、有是非正義的烏托邦時間表。她的「知其不可為而為之」可以是一切撒手前的阿Q演出，也可能是悲劇情懷的最後勃發。我以為徘徊在這兩種極端間，朱仍心有不甘：她畢竟不夠老。也正因此，她願意陷入與她批評者同樣單面向的邏輯，

古都

020

並以之論辯抗爭。她的矛盾表諸文字，已形成一些極具張力的作品（如〈去年在馬倫巴〉、〈想我眷村的兄弟們〉），但是否也已構成一種局限呢？

三、怨毒著書說

朱天心早期作品處處留情，但已時見機鋒。彼時的她彷彿年紀、身分尚不足觀，是以姑且隱忍下來，轉而放肆眾皆曰可的似水柔情。但在〈時移事往〉中，我們已經可見這位女子別有所圖。這篇故事自男性觀點剖析七〇年代女性成長的經驗。女主角愛波集理想浪漫虛榮於一身，已跡近概念性人物。我們的男性敘事者暗戀愛波而不得，卻注定要在她每逢危難時拔刀——手術刀——相助。他數度操刀進入愛波體內，為她除病。愛波終於不治，留下男主人翁悵惘時光流逝。

我們當然可說愛波就是那美好卻不無缺憾的往事化身。但這篇小說真正引人注目的，是朱男性化的觀點，以及老練的辭鋒：她在寫作的手術台上，也是下筆如

7 王德威〈老靈魂裡的新鮮人〉，《中時晚報・副刊》，一九九二年五月三日。

刀。一反多數女性作家所擅的溫柔敦厚，朱天心嘲諷譏刺，左右開弓。到了八〇年代後期的〈佛滅〉，朱寫盡社會菁英的偽善及算計，由於嘲仿的對象呼之欲出，一時引來議論紛紛。

袁瓊瓊早就指出，朱天心筆觸「火熱」，而朱自己也承認，她時有「陷刻少恩」之虞[8]。對此朱大概要辯稱，「予豈好辯哉！」的時代，朱的得理不饒人反予人不夠厚道之感了。到了她的老靈魂人物披掛上陣，更讓我們覺得朱嚴以待人，卻也自苦得緊。相因相襲，使她的作品充滿怨毒之氣。

我刻意使用怨毒二字，想到的是古典小說批評「庶人之議、怨毒著書」的傳統。金聖嘆評《水滸傳》，謂「其言激憤，殊傷雅道，然怨毒著書，史遷不免，於稗官又奚責焉」[9]。金將《水滸》與《史記》並列，暗指太史公「發憤著書」的傳統到晚明已由小說賡續。是在怎樣激越憤懣的情懷裡，一代史家執起椽之筆，針砭人事，千百年後依然撼人心弦？而又是在怎樣滯塞鬱悶的環境下，小說家以小搏大，念念以史筆自居？金聖嘆於是嘆道：「從來庶人之議，皆史也。庶人則何敢議也？庶人不敢議也。庶人不敢議而又議，何也？天下有道，然後庶人不議也。」[10]再過三百多年，小說家不擊壤而歌，反而要寫「政治週記」。朱本來學的是歷史，現在以庶人之議的姿態，怨毒著書，想來也是感觸良多了。

現代中國文學傳統中也有怨毒著書的一支，簡中大師，不是別人，正是魯迅。

一般看魯迅側重他感時憂國的一面，但大師百難排解的怨懟，無時或已的憂疑，可能才更令人心有戚戚焉。《吶喊》、《徬徨》固然顯示其人的抱負與志業，能夠傷人，也能自傷。塞抑滯不散的曖昧心情。怨毒的傳統到了魯迅正如一柄兩刃之劍，能夠傷人，也能自傷。魯迅似乎頗有自知之明，散文詩〈野草〉中一再敷衍他的兩難，最動人的例子莫如（墓碣文）中那個自噬其心的遊魂：

有一遊魂，化為長蛇，口有毒牙。不以齧人，自齧其身，終以殞顛……

扶心自食，欲知本味。創痛酷烈，本味何能知？……

於浩歌狂熱之際中寒；於天上看見深淵。於一切眼中看見無所有；於無所希望中得救……[11]

8 袁瓊瓊序朱天文《最想念的季節》（台北：遠流，一九九四），頁八。

9 金聖嘆《水滸傳》十八回回首評：見葉朗《中國小說美學》（台北：天山，無出版期），頁八。

10 金聖嘆《水滸傳》回首總評：葉朗，頁七九。

11 魯迅（墓碣文），《魯迅文集》，卷二（北京：人民，一九八一），頁二〇二。

識者或要說，朱天心哪裡能比得魯迅深刻或深沉。但這已是個生命不可承受之輕的時代，比起世紀初的吶喊與徬徨，作家或者只宜訕笑或自嘲罷了，即便如此，朱天心的老靈魂上下求索而百無出路，滿紙道理而又矛盾處處，不能不使我們想到魯迅部分人物。而我談起魯迅，未必只是抬舉朱天心，也更想指出她老靈魂式的邏輯，也可能陷入一種套套語言（tautology）僵局，正如魯迅自嚙其心的遊魂一般。老靈魂以其世故犬儒，作為批評天下無道，兼亦「反抗絕望」的方法[12]。但同樣的世故犬儒也可能培養出「虛假的洞見」（Enlightened False Consciousness），甚至成見，陷溺其間而不能自拔[13]。當老靈魂自謂明白一切，可以預言休咎時，我們得提防她是個假先知。

從當代理論的角度，朱天心一脈的怨毒著書法也可找到部分解釋。尼采的辱恨說（ressentiment）是論者一再指出的現代意識之一端。從杜斯妥也夫斯基的地下室人（*Notes from the Underground*）到色林（L.-F. Céline）小說的荒唐小人，英雄都成了反英雄。他們因受辱而心懷怨恨，但沉浸在不斷循環的痛苦記憶及想像的報復中，他們由自怨竟然可發展成「自愛」。受苦成了不請自來的權利，使他們由最低姿態中，嘗到了自欺欺人的「精神勝利」。而一種暴力的種子已自萌芽。魯迅的阿

古都

Q應是個好例子吧？但仔細看看朱天心的老靈魂，我不覺得他（她）們自抬早受貶抑的身價，也未必僅能苦中作樂並以此作為報復自己與他人的起點。她的風格也讓我想起心理學的「不堪」（abjection）觀點。

「不堪」不同於「辱恨」，因為前者雖出於對外界壓力的回應，卻不汲汲營造內心憤恚的永劫循環。不堪的意識一樣讓人覺得卑下委屈，卻殊少因此發揮成想像或行動的暴虐結果。折衝於體制內外，不堪的人自覺失去發言地位，因此努力找尋、挑逗對話的機會。雖明知一己的地位與聲音可能成為笑柄，一股因不甘而想還嘴的衝動總是縈繞不去。心理學家克里斯多娃（Julia Kristeva）特別強調不堪意識的「門檻」經驗：不上不下，不裡不外，不死不活。我們覺得不堪，正是因為我們對人與己的關係無法確定，從而有了自棄與自救的矛盾衝動。克里斯多娃把這一不堪的意識定位於女性身上，並與生命中的現象如廢物、食物，及生殖連鎖一處。[12]而不堪意識的癥結是被放逐的恐懼，對回歸的欲望。「門檻」內外的對話由此開

---

12 我採用汪暉的說法，見〈反抗絕望：魯迅小說的精神特徵〉，《無地徬徨》（浙江：浙江文藝，一九九四），頁三八四─四一八。

13 Peter Sloterdijk, *Critique of Cynical Reason*, trans. Michael Eldred (Minneapolis: University of Minnesota Press, 1987), pp. 3-22.

批評家的理論高來高去，但我們不妨姑妄聽之。由此我們可說朱天心的怨毒著書，來自她文學與政治經驗的情何以堪。她的人物中可找到不少對應例子。像〈從前從前有個浦島太郎〉，寫政治犯被放逐三十年後的回歸，只陷入恍若隔世的時間錯亂。像〈袋鼠族物語〉寫平凡母親的逐步退化與無言抗議，又像〈春風蝴蝶之事〉，寫女同性戀在男性話語霸權下，暗遮心事，都是處理時間、意識形態、語言、性別及性傾向「門檻」內外，相互交爭的故事。這些被主流歷史排斥的人物，是在從自己的不堪（入流）上，認知自己的身分，而這身分每每使他們無所適從。

但我的用意不在以老靈魂人物印證一二理論而已。我更要說，如果她願意，朱天心的老靈魂不必被這些理論束縛住。我在上一節提到，從《時移事往》到《想我眷村的兄弟們》，朱仔細琢磨老靈魂的歷史觀，卻往往低估了這一史觀的殺傷力。老靈魂苟全性命於亂世，不求見容於主流，他（她）們窮究天人之際，應該也會將混沌論的說法考慮在內。世事參商，牽一髮而動全身。

些微騷動，曲折迴轉，都要讓我們的文化結構有所改變。是禍是福，誰能與聞[15]。「辱恨」或是「不堪」，都各只是眾多線索之一端而已。更進一步，出入在復國論與建國論、永劫循環說與「大自然五基本法則說」，還有袋鼠族、眷村

始[14]。

族、雅痞族、同志族等各類歷史間，老靈魂早攪亂一池春水。這些不同角度衍生的史觀，盤根錯節，難分你我，有可能共存共榮。在兩極之間，物競而天未必擇，最新而好的事物不見得是進化史觀的倖存者。既然沒有人能夠以全知角度綜覽過去，即使歷史重演──有如錄影機倒帶重播一樣──我們又哪裡能夠得到同樣的結論[16]？

這一推論並不讓朱天心的負擔減輕，但也許有助於她跳出畫地自限的套套語。老靈魂浮游種種歷史界限間，對自己前此宣稱「知道」一切的「不可知」，終必啞然失笑罷。因為他（她）的對手正是憑藉這一全知姿態，爭奪歷史所有權。如果沒有人能自外於歷史，誰又怎能為歷史過去與未來塑造全景？你我所思所見，無非

14　Julia Kristeva, Powers of Horror: An Essay on Abjection. trans. Leon Roudiez (N.Y.: Columbia University Press, 1982)：亦見Robert Newman, Transgressions of Reading (Durham:Duke University Press, 1993), pp. 139-141. Michael A. Bernstein, Bitter Carnival: Ressentiment and Abject Hero (Princeton: Princeton University Press, 1992)。

15　見如 William Paulson 就混沌論與歷史敘述間影響關係的討論，"Literatures, Complexity, and Interdisciplinarity," in Katherine Hayles, ed. Chaos and Order: Complex DynamiCs in Literature and Science (Chicago: University of Chicago Press, 1991), pp. 37-53。

16　我特別想到生物史學家 Stephen Gold 對物種進化的新看法。見如 Wondererful Life (N.Y.: Norton, 1989)。

是萬花筒般的歷史鬼影幢幢？朱的新作《古都》，終於朝著這一方向，做出更深刻的思辨。

四、當歷史變成地理

《古都》是朱天心最新的老靈魂小說集。除了主要的中篇〈古都〉外，這本選集另收有四個短篇：

〈拉曼查志士〉基本上是〈預知死亡紀事〉的續篇。其中寫老靈魂對猝不及防的兇死，對身後之事的未雨綢繆，已是狂想曲的筆法。但朱天心借題發揮，一句「不願此生就這樣隨隨便便被發現並就此被認定」，恐怕才真道出她的意識形態潔癖。〈威尼斯之死〉巧妙挪用湯瑪斯·曼的小說名，卻是個作家自剖創作經驗與環境的告白。黃錦樹以此作的地像背景——咖啡館——為朱天心現階段創作視野的象徵，頗有見解[17]。都會的、自我解構的、以及虛張（男）聲（男）勢的朱天心，已經成為後現代台北文壇的一景。惟此作過於切近作者本人的創作甘苦談，雖然時有神來之筆，畢竟有此地無銀三百兩的味道。

〈第凡內早餐〉則是一篇精緻而狡黠的小品。一個自謂「我做女奴，已經有九

年了」的職業文藝女性，在重複採訪及文字的生涯間，猛然有了一種渴望：「我需要一顆鑽石，使我重獲自由。」鑽石是情真意長的永恆象徵，也是資產累積的富裕指標。鑽石以其超乎尋常的價值，偽託生活及生命無價的追求。它蠱起我們「重獲自由」的迷思，只因為我們甘願被它套牢。鑽石成了商品拜物異教的法器，資本主義淬煉出的舍利子。而朱天心筆下年華老去（！）的新人類在洞悉「鑽石學」一切後，仍嘿嘿然的全副武裝，「打劫」來「屬於」她的一個結晶體。在珠寶帝國第凡內公司的台北前哨裡，最精緻的消費文明與最寒磣的消費欲望相互撞擊了。朱天心由此中再次看到了文明的「不堪」，卻衍生了前此少見的黑色幽默。

〈匈牙利之水〉的形式已近中篇。小說寫兩個偶然在小酒館相遇的中年男子，憑著嗅覺（香水、香料）及聽覺（李香蘭的《上海之夜》），重啟記憶之門，進而沉浸於往日時光。證諸小說中眷村生活點滴，我們幾乎可把〈匈牙利之水〉與〈想我眷村的兄弟們〉並讀。只是這一回朱天心更為強調不請自來的感官直覺，如何像我的觸媒一樣，引起我們記憶的震顫。麝香薄荷香茅樟腦，丁香豆蔻蘆薈玫瑰，在氤氳的芬芳中，我們「聞」出了已被遺忘的過去。而嗅覺又刺激出聽覺、味覺及觸覺的

17 黃錦樹，同註5。

快感，造成一種象徵主義式感官交錯（synesthesia）的效果。〈匈牙利之水〉會使我們想起普魯斯特到徐四金這一系列作家的美學觀。但如果普魯斯特借助直覺重新構築他那精緻的似水年華，朱天心可能反其道而行。她看到了，──或是聞到了，禮樂退化為生物本能的訊號，文明逐漸荒涼的必然。當香味散去，歌聲已遠，回憶最終要變成遺忘──完完全全的遺忘。

這使我想起十四世紀日本散文家吉田兼好《徒然草》中的一段描寫。當我們的至親好友去世，我們哭之葬之，紀之念之。佳節忌日，我們訪視墓園，盤桓良久，不忍離去。但時光流逝，我們的思念之情逐漸無從捉摸。墓木已拱，我們自己也垂垂老去。當懷念別人的人自己也成被懷念的對象，遺忘的骨牌效應已經展開。千百年後，回憶者及被回憶者共化烏有，古墓竟已早轉為良田[18]。

由此我們來到〈古都〉。無論就題材及氣派來說，這篇作品都可視為朱天心近十年來創作的重要盤整。朱天心以往小說不乏各種記憶的儀式。在〈去年在馬倫巴〉中的垃圾資訊／雜貨，〈春風蝴蝶之事〉及〈我的朋友阿里薩〉中的書信自白，還有新作〈匈牙利之水〉的香味與歌聲，都成為朱重現時移事往的媒介。但是在中篇〈古都〉中，我們得見朱最大膽的嘗試。在這個小說裡，朱終於把她要叫停歷史、喚回時間的欲想空間化。歷史不再是線性發展──無論是可逆還是不可

逆，循環或是交雜，而是呈斷層、塊狀的存在。歷史成為一種地理，回憶正如考古。

〈古都〉的故事看似簡單，一位已屆中年的女性敘述者，遠赴京都與當年的老同學相會。兩人曾經親如姊妹「同志」，出了校門御各奔東西。不意旅美多年的同學突然天外傳真，敘述者因此立即整裝上路。她要等的同學終未出現，而同時漫步京都卻勾起了層層往事。故事並不就此打住。敘事者比預定日期早回台北，陰錯陽差被當成了日本觀光客。她將錯就錯，拿著日文台北導遊手冊，重新逛起她熟得不能再熟的城市。

我們的女敘述者穿街入巷，行行復行行。她腳下的台北像是個幽靈城市，疊映著過去與現在的重重痕跡。總督府還是總統府，艋舺還是萬華，本町還是重慶南路，末廣町、壽町、新起町、西門町。政治的、商業的、人文的、自然的地理／歷史，隨著敘事者的腳步不斷移動穿梭，匯為一處。但台北這座「古都」為什麼讓多數久居於此的市民，都了無以往的記憶呢？朱天心一再引用〈桃花源記〉的典故。

18 吉田兼好《徒然草》。Yoshida Kenko, Essay in Idleness, trans. Donald Keene, Anthology of Japanese Literature（N. Y.: Grove, 1955），p. 236。

好一個後現代的「晉太元中」，偽觀光客潛入台北桃花源，發現居民「不知有漢，無論魏晉」。這是福氣，還是墮落？

朱天心的愛走路，從《擊壤歌》中的小蝦漫步西門町、中山北路，乃至遠征劍潭、士林已可得見。到了〈古都〉，她把走路的能耐與她的歷史憂思合為一處，一步一腳印，真正出入在台北歷史／地理之間。熟悉新馬理論的評者可以再搬出班雅明的「遊蕩者」（flaneur）來比附朱天心的偽觀光客。遊蕩者隱身於巴黎街頭千百過客間，既冷眼旁觀，又不由自己的陷入人潮，形成一種都會景觀，也預言都會現代性的來臨。朱天心的偽觀光客其實是體制內的中產階級，卻時發非制式的思古之幽情。她不坐咖啡館、不逛名店街，「老是若有所思、若有所求的拖著一個大吸鐵，踽踽獨行於城市和荒野，更行過漫長人生的每一路段和角落……而所汲汲吸求到的珍寶往往之於其他大多數人簡直如敝屣垃圾」（〈威尼斯之死〉）。走著走著，她轉進了狹仄的巷弄，晉江街一四五號的門板，浦城街二二巷一號樟樹大王椰，長春路二四九號雀榕趴在牆頭……每一處門庭透露多少歲月風華，人情滄桑。

走著走著，她從最繁華的所在看到最寒涼的廢墟：西門町原來是狐鬼流竄的亂葬崗，二二八革命聖地現在是黑美人酒家。與其說她是遊蕩者，更不如說她是個傅柯（Michel Foucault）定義下的考古者[19]。在有限的都會空間內，她幽靈般穿刺於斷

古都

032

層之間，看出皴痕裂縫，看出斷井頹垣。台北日新月異，即便有一點古蹟的影子，也被蹧蹋得不成樣子。是透過一位偽外鄉人／外國人的眼睛，台北變得古意盎然了。

與台北相對的是京都，那平安朝以降的日本古都。相較於台北的怪力亂神，日新又新，京都的一景一物，赫然像是天長地久一般。多次行旅京都的女敘事者簡直對其親愛熟悉到了狎暱程度，真個是直把他鄉作此鄉了。但也就是這個精緻優雅的文化，曾經侵入了美麗之島，肆行了半世紀的殖民統治。而在另一個時空裡，京都虛心接受了唐末的文化移植，從此開闢規模。台北的人在為一個外來政權鼓譟不休時，面對另一個前外來政權代為傳留的文化遺產，突然都變得美麗與哀愁了。憑著一冊新版日治舊台北觀光地圖，台北人企圖找回殖民「史前」的記憶。這一筆殖民與後殖民主義的帳，文化批判論學者應該可以盤算一下。

我更有興趣的是〈古都〉所引起的文學對話及其聯想。顧名思義，〈古都〉的靈感來自川端晚年的名作《古都》。朱天心一向喜歡引用國際文學作品移花接木，另抒新機；前述〈威尼斯之死〉就是個好例子。但是〈古都〉承接川端遺風，疑幻

19 見拙譯傅柯《知識的考掘》（台北：麥田，一九九三）。

疑真，野心則要大得多。在川端原作裡，雙胞胎姊妹千重子及苗子自小被分開。千

重子長於養父之家，因緣際會遇到苗子，由此展開一段認親故事。但川端更要描寫

的，是故事所在京都的四時變化、禮俗節慶。相對人事浮沉，古都的種種儀式沉澱

出一種深沉韻律，歷久彌新，千重子及苗子相會一宿後，終於悄然分別。

朱應會體念川端筆下淡淡的「物之哀感」吧？美好的事物分裂、成長、衰老，

與其奢盼永恆，那霎時的光華或更令人餘味無盡。千重子與苗子在小雪的清晨告

別，了無痕跡；分離就是完了，全書倏然作結。回到〈古都〉，敘事者與當年親到

如「同性戀」般的好友重逢，自然使我們想到川端原作的姊妹相會。但是不然，敘

事者根本就沒等到人。今之尾生，即使信守承諾，抱柱而亡，哪裡有人領情？而敘

述者自己也不比千重子，獨在異鄉為異客，她對京都文化再歡喜讚嘆，終究只是旁

觀者罷了。

但我以為朱天心志不僅於此。千重子與苗子一母雙生，命運各殊，才應真正讓

人著迷。兩人這麼像，又這麼不像，誰真誰假，把愛慕她們的人都弄糊塗了。朱天

心有意把握由此而生的二元假象（duplicity）及幻影（simulacrum）的要義，推而

廣之，思考一座城市的雙重或多重身世，一種文化的分歧傳承。在異國京都典雅的

街上，朱的敘事者居然聯想到家鄉台北；在摩登的都會中，她恍然置身古代世界。

而她自己呢？到底是外來客，還是在地人？所有的欲望、記憶，與身分重重掩映，讓人難分彼此，所謂事物的真理、歷史的因緣都成了眾生法相的投影，一場半夢半醒的迷魅。別的不說，〈古都〉本身就是《古都》的再生與挪移。德勒茲（Gilles Deleuz）談重複（repetition）的美學，謂一類切切複製原本真蹟，建立真偽秩序，另一類卻以播散為章法，造出種種似是而非的對應，終於引起始原模式本身真偽的疑惑[20]。朱天心將台北桃花源移到古都，將現在看成過去，其意或在於此？

更重要的是，〈古都〉是朱天心對自己文學來時路的一次巡禮。她以往作品的重要場景，從重慶南路到西門町，從中山北路到淡水鎮，又被她結實的走了一遍。事實上〈古都〉本身就像一座古蹟，潛在層層文本，有待又一批有心人的挖掘。小蝦與同學間的眉目傳情，二十年後成了異鄉空候；「三三」末期的〈淡水最後列車〉，如今有了淡水快速捷運；〈新黨十九日〉的時代啊，哪曉得會起來許許多多的眾聲喧嘩：〈去年在馬倫巴〉的荒謬，又怎比得上今日台北的一夕數變？見佛〈佛滅〉，但有信仰的強人一個接一個散播他們的希望與快樂。台北街頭，朱天心

20 Gilles Deleuz, Logique du sens, quoted from J. Hillis Miller, Fiction and Repetition (Cambridge, MA: Harvard University Press, 1982) , p. 4.

窺見各代亡靈四下竄流。好死歹活，各憑天命，江山無夢，嗚呼哀哉。

於是朱天心的敘事者走向太平町，行經六館街，陳天來宅、辜顯榮宅、建昌千秋貴德街、波麗路江山樓。她來到環河路的水門堤外，那個過去朱天心曾比為揚子江的淡水河。河上不見「方舟」，卻可能有浮屍。

朱天心的老靈魂尋尋覓覓，日暮途窮，終陷於堤外沼澤之地。桃花源遠矣，但見時間的逐客、歷史的遺民徘徊「江」畔。「屈原既放，遊於江潭，行吟澤畔；顏色憔悴，形容枯槁。」不再記得，不再想起，修路幽蔽，道遠忽兮。「這是哪裡？……你放聲大哭。」——恰如三歲時盟盟丟掉手中視若珍寶而旁人不屑一顧的樹葉一樣[21]。老靈魂這回真是老了。

（本文作者為中央研究院院士）

[21] 朱天心《學飛的盟盟》（台北：時報，一九九四），頁一○六。

序

記憶之書

駱以軍

容我也引安哲羅普洛斯另一部電影的一段話：

彷彿心臟要裂開一般……

開始的時候你會覺得很痛，

同行的年輕流浪藝人，乾淨俊美的臉龐，蹲著這樣對其實還是女孩的姊姊說，其實他是個同性戀，其實總是這樣的呵。其實總沒有完滿的，總是斷裂缺憾的，總是歪斜不值得的。

這樣的「為了鍾情海盟一生，不願再生一個孩子」的朱天心，一旦專注鏤刻譜寫記憶，便讓我晦暗地感到像是倔強的姊姊在藉著一張霧中之樹的幻燈底片，找尋

她的父親。尋父之途的展開，即是鏡像破裂之始，欲望、自我認同成為符號鍊碼無止境的遞換和變貌。「我記得⋯⋯」但「我不只是⋯⋯」在死之前的一種持續的逃遁、畏死、畏懼意義的空白、任意修改。憂畏在此之瞬無從位標，無系譜可續。

〈威尼斯之死〉、〈第凡內早餐〉、〈拉曼查志士〉、〈匈牙利之水〉、〈古都〉，這些篇名，不僅使我在閱讀時，複數的兜覽連結上相同名字的一些城市或電影片斷（有幾部我甚至並沒有看過但也虛妄地臆想著）：香水、咖啡屋、死亡證明、鑽石、城市街道與建築，各篇正文所虛構的「另一個不存在之星球的民族誌」，又強迫你在正文內外的段落停駐時，拉出一條條不可存在於三D空間的時間帝國和記憶甬道，它們乍看是白紙黑字，顯得零碎，任性歧差，資訊龐雜，卻往往在閱讀時交換著各個記憶轉角的角色扮串。在朱天心看似刻意瑣碎更刻意寫「稗官街談巷語」，或常被簡單貼上「百科全書小說」標籤，其實野心更大的時間（記憶）雕塑走廊裡，總會被從一扇扇門打開走出，銘刻著殘斷記憶的幽靈給分心。

因此你都不願意和別人回憶過往，並非因為新的事情太多，新的店、新的偶像、新的醜聞、新的賺錢機會、新的誰誰老公的情人、新朝新貴⋯⋯你猜想他們正因為能夠不記得曾經存在的，才能迅速與新的好壞事物相處無間吧。

這你無法做到，你甚至半點不肯感慨「舊情綿綿」變成誠品變成芝麻婚紗，它們相較於過往對你來說都曾是太新的東西，你不願與它有任何關係，哪怕是買本雜誌喝杯咖啡，因為那又將種下一場流逝的開端。

閱讀朱天心的小說同時，我常被這些沙沙頻疊的雜音干擾著、暗示著、蠱惑著。她記得的，小說中人物記得的，我被斷碎有限的閱讀誘引臆想記得的，其他人記得的，究竟當時是如何如何？各自在自我戲劇化的過程裡，到底是誰引述藉以滔滔雄辯的歷史景觀是真的？她記得的哪些其實爬梳在另外哪些人的記憶之網上時又是怎樣怎樣的……

讀到〈威尼斯之死〉，她（他？）如何神魂顛倒冷汗涔涔在Ａ飄忽跳躍的城市和通信間翻箱倒櫃地追逐，只因換了不同家的咖啡屋便挪移虛擬另一座不同的城市。我會想起同是雙魚座的賈西亞‧馬奎斯一次令人詫異的煽情，他說當他寫完邦迪亞上校死去的那一章，渾身哆嗦，整整哭了兩個鐘頭；讀到〈第凡內早餐〉裡那個為了買下一枚三十九分鑽石煞有介事盛裝而出（為了這一件城市裡每天發生千百次地微不足道的一個少女的小交易而大動干戈寫了如許繁瑣包括新人類、鑽石的歷史、馬克思唯物主義），讓我哀傷地想起朵麗斯‧雷莘那囈語、日記與敘事雜沓難

辨的《金色筆記》。我想起〈從許願談起〉，同樣是關於「永恆」之弔詭的寶石的故事，故事的緣由，同樣是由閒聊、搭話、謠傳之間衍演而出。〈拉曼查志士〉，當她寫到那人為了擔心死後——某一次無法預料之猝死——被人粗暴地裁奪命名，於是神經兮兮地預謀安排自己皮夾內物事的擺設及內褲之挑選，我不禁拍腿大笑嘆息這類題材至此休矣不必再玩，但又忍不住想起《燃燒的地圖》，一個偵探藉著諸如火柴盒、圖釘這類微不足道卻又可無限延伸想像的物事，拼組著完全空白的另一個人的身世。我想到波赫士如何藉「一面鏡子和一本百科全書」虛構了一個具有哲學、心理學、數學、宗教史、礦產、代數、建築、帝王神話的星球歷史。並非我膽敢將這些閱讀過程瞬息浮現的人名書名粗糙粗暴地替《古都》這些篇小說找尋擬借之閱讀位標，而是一種久蟄曉達，閱讀中可以在層疊遮覆的敘事陷阱中猜疑、耽溺、一種極度誇大極度華麗後的悵然之感，一種對龐大資訊崇敬並虛無的複雜情感。我看見一個作者如何孜孜矻矻，對著某一種多角度包抄卻終不可能到達核心的敘事衝動屢屢仆豎起。我想到傅柯在《詞與物》（一九六六）中，提到委拉斯蓋茲（Velazquez）的《宮娥圖》（Les Meninas）：「一種表象行為的表象不可能」（the impossibility of representing the act of representing）。傅柯說，古典時期知識型的不穩定，即在無法將統一的表象功能，呈現並表露的主體給表達

出來。於是只能殫精竭慮地將所有表象所需的功能，所有的功能，全部而分散地呈現在一有組織的圖表：於是，畫中的畫家和畫外的觀畫者永無休止的視覺交換，正在被畫的模特兒凝視的目光，畫家（這幅畫真正的畫家）畫這幅畫時凝視的目光，以及畫面後面推門而入擬仿觀畫者觀望位置的畫中人物，以及畫中牆鏡裡假想可能被攝入其內的觀畫者我們，都蟄伏在尚未發動但一旦發動即錯亂換置的內外視覺之緊張對峙關係裡。

朱天心之前寫政治人物被時間背叛的荒疲虛軟，寫家庭主婦對抗瑣碎庸俗時所依附之神話的幻滅，寫變態男陰鬱遲鈍地在洞穴裡記載光影，她的荒謬喜劇總是猥穢不仁，這點王德威先生早指出乃「師承張愛玲」。而朱天心在這本新作中諸篇令人發狂地詳述鑽石史，氣味與記憶曼陀羅聯想遊戲、死亡證明拼構身世的雜碎詭記，以及飄浮或片斷的一篇小說的每一個書寫現場的即興紀錄，或者至少四個版本的街道史的名稱雜交，或亦可讓人輕率聯想起晚近評者以「細節政治」，重新將張愛玲放置於中國「新文學」的敘事脈絡裡，以扞格、不相連貫、矛盾衝突重新省思一直以來對「現代性」的成見。我想朱天心的符號氾濫與百科全書癖自〈去年在馬倫巴〉到〈古都〉的歷史河流淹覆街道，「赫拉克利特河床」式的刻意加劇符碼的雜駁喧嘩，應不僅止於後現代敘事策略「謔仿、排列……乃至對父權主體單義之

排列鬆動叛逆」。

詹宏志先生在《我記得……》之序文裡提到朱天心多篇小說關心的是「政治生活的分裂性格」，「每篇（人物）至少都隱藏一個以上的矛盾」，事實上《古都》一書，每篇至少都隱藏了一個以上的表象分裂與敘事邏輯之矛盾：早在《想我眷村的兄弟們》中便強烈出現「無視小說敘事傳統中的時間主軸」與「故事框架／人物性格／戲劇動機」貌合神離得「甚至會讓讀者以為它們都是議論性格強烈的散文」（張大春語）；屢屢令評者疑忌的敘事聲音之性別曖昧，刻意將性別扮串作為正文底層性別認同之戲劇性內爆（前年董啟章的《安卓珍尼》獲聯合文學小說獎，評審先生一致譁然，完全看不出作者為「男性」作家。我那時不知如何臆想著，天心此時讀了，定正露出奸詐的會心微笑吧！）。評者指出其較保守的年齡與族群危機意識，使她擺盪在現代與後現代思考模式之間」（劉亮雅語），艾略特《荒原》式的懷舊哀傷與對台北都會符號飄遊的戀字癖，戀物癖形成自我分裂，這些，似乎亦可作為《古都》一書的註腳。是的，這些分裂、矛盾、內文與形式的齟齬，族群與性別的弔詭，歷史或記憶的貌合神離，從《我記得……》、《想我眷村的兄弟們》乃至《古都》，始終纏崇存在於朱天心的表象世界裡，甚且逐形加劇。在〈第凡內早餐〉中，有一段敘事者在一次對女作家

Ａ的採訪之後，臆測到Ａ同時對「我」的「新人類」採樣觀察：

……但可以預見的是，早晚我會在其中讀到Ａ侃侃而談她所觀察到的新人類，如聞其聲如歷其境的生動描述諸如新人類沒什麼歷史包袱，好傳統壞傳統全都丟個乾淨，因此也沒什麼理想價值信念……

……新人類是男的像女的，女的像男的，性別中性化……（因為訪問Ａ的那天，我才新剪個林強式的短髮，單耳穿一只Ｋ金耳環，直筒卡其褲、短軍靴）。

……新人類的女生在性方面要主動得多，也無傳統性別差異所帶來的傳統負擔……（如果那天我告訴Ａ，我有時會在ＭＴＶ包廂裡與當時的男伴解決彼此需要並順便藉此以切磋床上技藝），──或相反，新人類視感情為負擔，怕吃苦，寧願過無性的生活……（一如我那天告訴她的）。

我告訴Ａ──一意識到她可能期待得到的答案（如我有時或常常在ＭＴＶ包廂和男伴怎樣怎樣的）──我給了Ａ一個不一樣的答案。

採訪者與被採訪者的視覺位置之交換，並對峙膠著，相互形成對方。預先臆

度對方對自己的符碼黏貼，於是刻意朝相反面扮演。「我不只是……」新人類、袋鼠族、失落記憶的反對運動者、瀕死恐懼而記起一切的中年人……這些早已出現在朱天心前兩本小說裡的人物，在《古都》一書裡被重寫：它們清一色以仿自傳體的第一人稱敘事觀點發言，敘事流程裡讓人不耐的嘮叨囉唆，只要稍一分心便不知所云的離題，龐雜的流行資訊，八卦新聞或平庸朋輩間的小道消息，它們總在滑稽地傷逝著一些陰德不足為人道的片斷，或藉某一次無關緊要的儀式來重複勾描自己將被沖水馬桶的存在意義——找尋咖啡屋，布置死亡場景，大張旗鼓地購買一顆小鑽石，兩個大男人互相以物體的氣味考對方的記憶版圖，或偽裝成殖民者重遊「故鄉／異鄉」、「殖民地／被殖民地」的雙城記……這些乍看單一簡潔誇大無聊令人發笑的戲劇動機，後面卻操弄著朱天心對記憶不同角度的寫作練習。我母寧願意將《古都》一書，視為朱天心對《我記得……》、《想我眷村的兄弟們》的暗影（相對於光）、負片（相對於正片）、亞文本（相對於文本）之虛擬繁衍。

「我不只是……」朱天心藉著氣味的記憶蒙太奇、鑽石史詩、不存在的城市的殖民地圖、替早已巢空記憶的浦島太郎、阿里薩、眷村兄弟、鶴妻重構記憶族落。在九〇年代被不同遭遇升降的「女性記憶」與「外省族裔之記憶」同樣在記憶板塊運動中成為「他者的歷史」，而朱天心以虛擬的咖啡館史、鑽石史、氣味史、身分證明

史、街道史表象其柔腸寸斷，不可被表象之虛擬時間感。

不僅敘事聲音「我」在全書不同篇章裡，分別以不同性別、不同職業、不同年代、不同階段出現；連各篇裡反覆出現且唯一存在的第三人稱角色「A」，亦共謀地以不同的身分變形著。在〈威尼斯之死〉裡A是「我」（朱天心，或文中曾寫過〈去年在馬倫巴〉的另一位男性作家？）多年前某一篇小說中由雛形乃至自體成長的角色。「A」是另一個我（⋯⋯呈現在小說裡的形式是，兩個微近中年的老朋友〔一在台北，一在威尼斯旅行〕之間的通信，其使用的事實是，今天的我，與數年前曾一日之內踐踏威尼斯的我，在做或輕鬆或嚴肅的通信對話）。但其實小說（小說中的小說，或〈去年在馬倫巴〉這篇小說）開始之後，「我」的興圖而任性遷徙著，於是整篇小說（這篇小說，朱天心的小說，或〈威尼斯之死〉這篇小說）成了「我」被A反制著追尋A遷徙中到達的城市而虛擬「想像中的城市」及A的來信。在〈第凡內早餐〉中，A是如前所述「我」（年輕的朱天心？或文中「無性生活」、「潔癖」、買鑽石的新人類少女？）曾經採訪的一個中年女作家（孤僻、鮮罕接受採訪、耽溺於記憶）。這個A，是不是「臆想著新人類眼中被定型的朱天心」自己呢？「我」與A互換著窺看的主客體位置。在〈匈牙利之水〉中，A（本省背景的中年男子）是「我」（外省

背景的中年男子）的氣味記憶導師，他啟蒙了「我」沉陷進遺棄在巷弄裡的記憶之沼，最後，兩人相濡以沫地形成記憶的互補。A與「我」的視覺交換關係在〈古都〉一篇中達到高潮，在這篇小說裡，A是「你／我」（這是這幾篇小說中，朱天心最沒有閃躲性別、族群背景，最和自傳類擬和諧，卻唯一使用的第二人稱敘事）。少女時代的膩友，兩人之間，甚至曾經似有若無輕淡含蓄地存在著同性戀的情愫：

……同樣一個星星的夜晚，你和A躺在一張木床上，你還記得月光透過窗上的藤花、窗紗，連光帶影落在你們身上，前文忘了，只記得自己說：「反正將來我是不結婚的。」A黑裡笑起來，「那×××不慘了。」×××是那時正勤寫信給你的男校同年級男生，一張大鼻大眼溫和的臉浮在你眼前，半天，A說：「不知道同性戀好不好玩。」你沒回答，可能白天玩得太瘋了，沒再來得及交換一句話就沉沉睡去，貓咪打呼一般，兩具十七歲年輕的身體。

於是當許多年後，「我」和A相約在京都重會，「我」會像重溯一個私密儀式那樣摒開了丈夫和女兒，隻身前往。「我」真正擔心的是，和A同寢時已過中年的自

己，暴顯出現的體味、毛髮、身裁變形和鼾聲。

文中且切割川端康成的同名小說《古都》的段落，以故事中不知是「千重子化身的苗子」還是「苗子化身的千重子」暗涉「我」與Ａ，京都與台北，記憶斷缺四凸互街的雙面糾葛。Ａ幾乎是「我」如迪里茲所言「凝固了、被捕捉了的兩個空間影像，是一張恆常在心靈冒險中，遭遇危險傷害時，驅魔用之照片」。Ａ是「我」第一記憶覆寫台北城街的青春，因此當Ａ失約，並未與「我」在京都重會，小說後半段的「我」重回台北，突然陌生歪斜地扮裝成殖民者，以非我的語言（日文街名）及記憶（日文旅遊指南）重描台北街道輪廓，於是充滿了異質的內在暴力，小說前段（Ａ仍在記憶中伴伺在側）的運鏡抒情徹底消失。

「我」與Ａ這兩個角色像換裝嘉年華般貫穿了全書五個關於記憶的故事，他（她）們互相懸宕、惦念、猜忌、閃躲、互相扮演對方的鏡像，對方對他者的斷裂想像。邱貴芬說：「朱天心作品裡自傳和小說創作的模糊界線是否（亦）源於這個氾濫，拒絕定位，拒絕閉鎖的傾向？」站在同樣面臨定位焦慮的（「外省裔」、「男性」、「新人類」）的後輩來看，我卻不能不戚戚焉於朱天心挑逗翻弄文類與文化交流的齟齬糾結，《古都》這本小說較前兩本亦是有關記憶的小說集，更著力於「凝視」的處理——在後殖民文化交流中，殖民者後裔對殖民地的驚異、想像、

痛苦、暴力與失位。「……像是一則各種年老民族必定會有的那類寓言，你們曾經不具任何知識，歷史知識，與它愉悅自然的相處過活，待有一天你具備了了解它的知識，並略覺愧疚的重新善待它，雖然你以往對它也傾心相待，但它再也不一樣了，與過往不一樣了……」對於「外省」（眷村）這一逐漸被新挖掘／覆寫的歷史〈古都〉裡

淹覆成「想像社群」的記憶——縫補、錯置、成為不可能表象之記憶。〈古都〉裡鋪覆街道與圖的那許多撥弄著記憶錯亂的名詞（台灣神社台北州廳新公園二二八紀念公園台灣銀行書院町乃木町牯嶺街大稻埕信義路三段一四七巷瑞安街一三五巷大加蚋堡艋舺），或不僅僅是羅蘭・巴特「艾菲爾鐵塔」俯瞰巴黎歷史地層學「區分、認識和重新使記憶聯繫起來」的感覺歡娛或城市入族式。「我不只是……」但

她很認真地發現城市的記憶亦不只是……她少女記憶裡的那座城市、她父系先祖眼神中的那座城市、她母系先祖眼神中的那座城市、「從外面、上面和下面，好像種種事件，好像一見鍾情」；宛如學生姊妹光影互補地迢望彼此身世的憾缺；宛如喋喋不休，在描述另一座城市如何建造時默記著這一座城市的壞毀；宛如卡爾維諾

「一個人在荒野裡馳騁很長一段時間之後，他會渴望一座城市」，當他渴望一座城市時，他會懷想著年少時悠遊飄浮過的那些街道、建築和廣場。那些婦女、老人、小孩和異鄉客。但只有一點不同，「在夢想中的城市裡，他正逢青春年少；抵達伊

希多拉（台北？京都？威尼斯？第凡內？）時，卻已經是個老人。在廣場那頭，老人群坐牆邊，看著年輕人來來去去；他和這些老人並坐在一起。欲望已經成為記憶。」

敬謹為序。

二〇〇二出版說明

朱天心

有謂《想我眷村的兄弟們》、《古都》、《漫遊者》是我個人有關台灣書寫的九〇年代三部曲（例如王德威）。

若把這些作品局限聚焦至一定的範圍內（如論者所習於援引的後殖民或離散等），我想，或可做如此描述。

《想我眷村的兄弟們》寫作時期，深深強烈感受和觀察到那剛從潘朵拉盒子逸出的認同問題即將，甚至正被政治所染指、搶食，我遂率先（因為同時候絕大部分熟識或不識的人都以為我大可不必如此焦慮）嘗試為我所洞察到的包括族群在內的諸般神話禁忌除魅解咒，以為那應該多少會為方興未艾的「認同運動」提供一點比較健康理性的基礎。

《古都》成書於首屆省市長民選和首次總統直選、台海危機之際，原以為島國

應可因為各種形式的當家作主而有真正的自信，不再繼續用減法，而改以加法來對待認同問題並自然生成主體意識；我以為我們應該可以忍耐容讓各式表達認同的語言，而非政治正確、掌權者所欽定的語言，我天真地妄想在島國一片高唱入雲的認同聲中，掙出一些些不認同的自由（或各自表述）的空間。

《漫遊者》時期，承認自己是不被師長、主流價值和社會所願意了解見容的後段班學生，遂自我放逐（棄？）而去。

何以至此？

我必須清楚（並注定失之簡單）地說，三部曲寫作的十年來，屬於我個人的最大「失落」是──這「失落」在在被猜測質疑甚或率爾論定──，我們一代之人接受洗禮並引以為傲的好一場「民主化」、「本土化」是如此的虛妄，那些年間我曾衷心敬重、甚至之於我有二次啟蒙意義的前輩們，原來絕大多數在意的並非拜神行為的不對，而是廟裡的神主不對，所以，一旦神主換得中意了，拜神，當然是必要，而且得更專一虔誠的。

這漫長的過程，對我而言，近乎一場凌遲。

我希望這是我對類此話題的最後一次發言，十年來，我覺得我已經說得太多太大聲了，以致令人（我）起疑，作為不過十來個中、短篇小說，它們的獨立性和完

整性竟是否不具足？

便交給時間吧。

《想我眷村的兄弟們》和《古都》交給印刻重新出版，並非因為總編輯初安民是我近年無話不談的好友，我更珍重安民是我多年以來知曉或來往過的出版人中，對文學、文學出版最尊重、理解、認知準確和最重要的──能當下實踐的，自然，我十分樂意與他繼續合作。

同時我也要感謝大春、錦樹、德威、以軍和唐小兵願意或繼續把評論文字收錄在此二書中。我清楚記得，在某些個特定的時空裡，它們之於我曾是如何的意義非凡。

威

尼

斯

之

死

創作愈來愈像是在做一個化學實驗，倒入我直覺所需的各種元素，而後會有什麼樣的化學反應，什麼樣的產品（黃金或大便），我完全不知道，也不想控制，有時儘管隱約感到危險，也無意避免。

嘿——別緊張，沒有任何人死，沒有任何事發生。

也沒有湯瑪斯‧曼，沒有維斯康堤，甚至與真正的威尼斯也並無關係。

為什麼說真正的威尼斯呢？

真正的威尼斯，就是你我所共知，那個在義大利東北角上、快要陸沉的水上城市，數年前，我以一筆在我當時的經濟狀況堪稱鉅額的文學獎獎金，陪同我的老父老母參加一個十四日歐洲精華遊的旅行團、曾踐踏之，我用踐踏而不用流浪或旅行，一來流浪一詞已被我的一名女同業及其仿效者使用殆盡，二來我才在那裡盤桓一日，連過夜也沒有，扣除掉冗長的用餐所剩的四五個小時裡，我把老父老母託孤給導遊，奮力不停腳的依手上的地圖盡可能踏遍每一條橋和小巷，無暇進入任何一家小鋪觀賞老師傅製作傳統玻璃藝品，也捨不得駐足一家美麗過一家的路邊咖啡座，我居然狠心的匆匆擠過奇花異果的市集，其向我大聲叫賣的婦人一如狄西嘉電影裡的，我甚至還高興每一個觀光客必去的聖馬可教堂正逢數十年一度的大整修，如此我可以放心的不用進去，少說這又省了一個小時時間。

黃昏時，我心慌意亂的徘徊在可以清楚看到嘆息橋的渡船口，無法分心去同情一下舊日得行經此橋赴刑場的死刑犯們，我癡癡遙望著夕陽下波光粼粼的亞得利亞海，海天交接處的小離島麗都——每年的威尼斯影展舉行之地，在我很長一段迷

戀於大師電影的成長歲月，那幾乎是我心目中無可取代的聖地——那一刻的它，仍然遙遙對我放著光，再沒有一刻，它與我在這地球上距離得如此之近，我深感絕望的再次盤算時間，確定除了選擇脫團或一場大大的混亂失控，我是來不及去來一場了。

如此，我拖著失意的腳步走過嘆息橋畔彷彿死刑犯，同時不失現實感的買了五個便宜的仿古木雕刻的石膏質壁飾，回去可當小禮物送給平日負責催我稿子的編輯小女生。

這樣的方式，你還認為適合叫它作旅行嗎？

我以為用踐踏二字來形容尚稱文雅，實在我那樣氣急敗壞、數小時內急行軍的走過大半個威尼斯，只為了——我簡直不知是為了向誰——宣稱：我踐踏，故我存在。其愚其可笑有若街角巷底隨處可見的犬溺貓糞。

好了，這就是我與真正的威尼斯的唯一關聯。

那末，難不成還有其他的威尼斯？

有的。

但這說來話長。

一切都得從我重返台北開始。

返台北前的兩年，我以一筆某大報中篇小說得獎作的獎金，加上銀行當時僅存的數萬元，獨自在東部海濱居住了兩年，該處——你猜錯了！——不是孟東籬的鹽寮，不是張貴興的宜蘭壯圍，而是位於此二者的中點，北迴鐵路的某一小站，是朋友免費借住的房子，景氣瘋狂好時，你或可稱它為度假別墅，但現在只就是一幢海邊廢墟，包括它鄰近的幾家一式一樣的房子，大概從來房主都沒來住過，其斷梁斷柱的破敗如經過火災或炮轟。

我才住半年就想走人了，大大違背我去前的立誓要在那裡溷跡終老，甚至娶個山妻，不，錢一點也沒花完，不是我原先擔心的經濟問題，也不是我有所覺悟頓悟或等而下之的寂寞難耐什麼的……我只是，無法消磨時光。

大概我缺乏前輩孟東籬的人生哲學吧，我沒有自耕自食自己經營蝸居的打算和技藝，我也無法像梭羅觀測華頓湖生態的盎然興致，我甚至不想打開我帶去的和朋友好心從台北不斷寄來的書本雜誌期刊，我任它們如山的堆積，當不了枕頭和柴薪，只覺得其中熱烈描述或思考或爭辯的文字擺在如此時空下彷彿出自一種動物叫作癡人。

如此，我的時間變得過多了。

往往一整個早上，我坐在門前的陽光地裡，仔細把牙縫中的早餐殘渣一一剔淨

彷彿草食動物在反芻，而後細膩溫柔的挖挖耳朵、摳摳鼻孔，並及於身體的其他孔穴縫隙，幾次忍住要舔舐爪子肉墊錯覺自己是一隻大懶貓咪……直到午前那班自強號呼嘯而來，我愈來愈為之雀躍，如同舊日縱貫鐵道旁的孤絕小鎮的鎮民，對日日往來、不屑一停的火車那樣天真善意的揮手歡呼。

最後的那半年，愈發狂亂可笑（現在看來），幾個颱風登陸的停電夜晚，我反常的不睡覺，燃起蠟燭坐困終宵，多次的奇聲異響使我誤會有猛鬼或大陸偷渡客入侵，因寫就頗具史蒂芬·金之風的驚悚小說；而後風平浪靜的日子，傳聞兩公里外的大河入海處，被山洪又沖刷出一片含金成分的淤沙，引來不少（包括西部來的）業餘淘金客，你能想像平日只有一些二鵑類和奇形怪狀的朽木以及一些從火車上被拋下的寶特瓶所點綴的河口沙灘上（多像一項平庸的裝置藝術），忽然擠滿幾百上千人的情景嗎？實在是十分的後現代。

但我不及嘲笑此情此景，只顧隱身其中，假裝忙碌異常的淘金，實則窺聽他們人模人樣所發的人語，同時忍住想突然襲擊他們的衝動，我所謂的襲擊是好想跳在他們彎腰拱著的背上，然後迅速搶得機先的將之撲倒在地，就像小學時候冬天的下課時間，我們在走廊上邊曬太陽邊推打擠壓的那種無聊卻好玩透頂的遊戲。

淘金熱大約一星期就消退了，河口沙灘上的那些古奇怪木也被他們搬之一空，

我面對著眼前空無一人、仍只有鷗類的河海沙灘，寫生似的坐定，僅在一個半工作

日就寫好一篇小說，該篇小說在後來的一項小說獎決審的評審討論過程中，被支持

的甲先生讚嘆為「一篇成功的諷刺台灣近年來金錢遊戲的寓言小說」；不以為然的

乙先生則直指出該篇完全抄襲諾貝爾文學獎得主賈西亞‧馬奎斯的魔幻寫實，並指

稱文中的大河根本就是《百年孤寂》中、馬康多村外那條滿布史前巨石的不知名河

流；丙評審女士則堅持那條大河不必然是真正確實存在的一條河，而是每個人生命

中那條使人可為之溯源而上的夢想、信念的大河；丁先生末投票給任何一篇，並慷

慨痛斥一番他曉別十數年的台灣，如此庸俗腐化、如此墮落不堪；戊先生，我的好

朋友，對每一篇作品皆詭辯一番，以我對他的了解，每一篇他大概只讀首頁和末

頁，但他畢竟投了我一票，顯見沒猜出是我寫的。

那篇小說結果並未獲獎，反倒是才結集出版的《瓜田散記》，經由出版社的推

薦，得到該年度的評審獎（也就是那筆獎金供給了我與老父老母的歐洲之旅），每

一個評審皆表示或肯定或敬佩或心嚮往之我一人獨居海濱在當代的別具意義。

我並不清楚這番意義與肯定我的文學成績在獲獎中所分占的比例，但這確實使

我不得不延後我重返台北的打算，你知道，開始有一些人老遠從台北來看我，有舊

識，有陌生人、大學生、雜誌報紙記者、搞環保的，還有一些我無法歸類的各式各

樣精神病患。大多數時候，我都使他們滿意而歸，我介紹我的生活起居，包括那畦我晨間漫步的西瓜田，我帶他們去看淘金熱發生的河口，順便賞鳥，最後幫他們抬一尊他們屬意的奇木上火車。

某方面來說，我是老式的人，人家因為我的生活方式給我獎（如我的德國同業Günter Grass 說的，他們要求的是神、是英雄，而我寫的是人），我不能這麼快就當場摧毀他們的神話。

最終，我還是回台北了，一來基於前述原因，二來我的弟弟妹妹都剛好各自嫁娶暫告一段落，尚獨身又沒有居處的我，找不出積極的理由不與老父老母同住彼此照顧。

這期間，我仍舊選擇大隱於市的生活，儘管有一家股東們屢屢徘徊於撤資增資的報紙副刊、和一家年營業額上億的出版社同時找我去工作，我不需掙扎的選擇了以專業寫作為先。固然尚有退休金度日的父母可讓我不致有無家可歸或斷炊之虞是主因，更重要的，從數年前我決定辭掉最後一個工作開始，我就這麼相信著，一個創作者的盛年大約不出三十五到四十五歲，好不容易，好不容易我終於熬到這個年紀，怎麼能甘心把自己盛年的精華就此白白給人，為人作嫁？!

你覺得我迷信而且言語荒唐？

這其實是有根據的，依我做的小小的調查統計，文學史上重要作者的重要作品，全都是在三十五到四十五這個年紀完成的，以後的歲月，不管他們繼續努力或是懶怠不長進，成績都差別不大，例如我被指責抄襲的對象馬奎斯，他的《百年孤寂》在三十六到三十七歲完成，而後的歲月他鬆懈、自滿，仍維持創作不斷，其間還順便得了個諾貝爾獎，但二十五年後的長篇小說《愛在瘟疫蔓延時》卻令人大為吃驚怎麼一點進步也沒有，更令人難以相信的是，也見不出一丁點退步。

老實說，這個事實真令我懊喪。

但那畢竟是中年之後的事。

通常吸引我的結論是，那些作者在離開起碼的學校教育和三十五歲之間，幾乎全在鬼混，做做不重要的工作，書店小職員、小電報員、地方小報的記者……三不五時寫些不成熟的作品，不結婚，不做其他人們在同年紀該做的事，美國的淨在巴黎或遠東鬼混，歐洲的混到蘇俄或非洲去，拉丁美洲的混到西班牙，西班牙的混到墨西哥……

因為這些，你還會吃驚我為什麼能在人人衝刺打拚的年紀，反其道而行的放心鬼混虛度嗎？當然，較之大師們成為大師之前的生涯，我的顯得過於道德和拘謹了，你知道，我像很多藝術創作者一樣，堅信（甚至身體力行）道德的淪喪，往往

是偉大的文學藝術的溫床。

不管怎麼樣，這是我重返台北時的狀態。

兩年不見，我發現我的同業們一半在學佛參禪，一半在搞房地產股票，較之前者動機的複雜與多樣，後者顯得簡單多了，我的一位前輩級女同業在獲利上億並確實體驗財富帶來的不同生活經驗和社交圈後，得以出品一系列小說，痛陳台灣資本主義只知賺錢但不懂尊重文化（如花了台幣千萬買來的某朝骨董是贗品；如竟有很多台灣人不懂正統英國午茶的茶器、點心及禮節；如國人只會丟人現眼的在紐約巴黎窮兇極惡的購物，而不捨在該地購屋做度假落腳處，以充分悠閒飽覽博物館和街頭藝術表演⋯⋯）。

當然也有不在此二大類、處境生活也與我相似的作者，被視為瑰寶和秀逗桑。

該同業的為何不參禪或玩錢的理由，我並不知道，至於我，上一輩老實本分的公務員父母，已錯失過一次台灣經濟起飛時的財富重分配，我呢，在瓜田的兩年，又活活坐失那一波台灣的巨大、大概也是最後一次的大富翁遊戲，參照馬克思的話「除了腳鐐手銬，無可損失」。對我而言，的確起來革命，要比賺錢容易，且有希望得多。

至於參禪呢？很簡單，我只覺得我「有」得還不夠多，起碼遠不夠多到需要花

力氣去捨，無論是金錢、知識、智慧、煩惱。

是哪個傢伙的話呢？謝謝上帝，我是個無神論者。

於是，我開始慢慢享受我的逐漸邁往創作高峰期。

像很多古往今來的中外作者一樣，我很習慣在咖啡館裡寫作，別人的理由我不很清楚也不盡贊同，例如我聽過的理由有，一名女同業抱怨家裡有太多的零食、有太舒服的床、有太好玩的小孩；也有人極富骨氣的說，隻身在外，可避免一遇寫作難關時，忍不住求救於四壁書櫃上的列祖列宗們；也有較具積極意義的說，咖啡館堪稱為眾生相的縮影，便於作者觀察及偷窺竊聽；也有的僅僅想仿效巴爾札克的日飲咖啡十數杯才能有靈感……

我的理由卻極其簡單，每天朝九晚五的去咖啡館寫作，便於至今仍無法接受我以寫作為業的老母不必向鄰居解釋我的職業。

這段期間，如我所期待的，我完成了不少作品，成書出版後所獲的評論也都不錯，幾個書評家的意見雖不相同，卻一致肯定、甚至稱許此書題材的豐富多樣性。

我卻暗自懊惱起來，因為並沒有一篇是依照我的原意發展和結束的，甚至往往連整篇作品的基調都完全失控，簡單說，我的寫作風格竟然如此發展形成的…一家咖啡館的氣氛，往往操縱一篇小說的風格。

古都

064

所以一切只怪我沒找到一個適合的咖啡館！

怎麼說呢？

舉個例子，其中一篇我原先打算以孟東籬前輩，佐以我那兩年海濱生涯的稀有經歷，來描寫一名長年從事環保運動的人物對現階段台灣的種種反省和思考。

這應該不難，起碼以我的立場和所掌握的素材，但問題是，你相信嗎？我進錯了咖啡館！

我進錯了咖啡館（這當然是我的後知之明），那其實是一家不錯的大眾化咖啡館，日式管理的服務生態度殷勤有禮，消費額不高，咖啡可以無限續杯，因此你可以安心的工作一整天……那問題到底出在哪裡？

首先，是四下狂吠不已的大哥大，我想。這一兩年不就是這樣嗎？以前是BB叩，現在是大哥大，其飼主清一色是連喝杯咖啡也顯得忙碌異常的男人，腰間都獄卒似的掛著一大串沉甸甸的鑰匙。這首先就使我的主人翁不肯聽我安排的離鄉出走並擇台北而居，並執意以媒體記者為業。

然後呢，我實在不願把一切責任都推給咖啡館，但出出入入的美麗台北女子，其精心雕琢，其 fashion 之感，確實使我忍不住替主人翁添了一位迷人的女伴彷彿聖經說的上帝見那人獨居不好。我的主人翁立即未加思索的熱烈接受他的女伴，並

急於在一個並不適當的場所向她求歡。他是這樣一個個性頗令我感到意外，因此使我不得不中止兩個工作日，藉以冷卻他們的戀情，並思索應該如何定位他的女伴，是不是該由他的女伴扮起省思的角色來補強他，不然豈不大失我寫作此篇的本意？

繼續工作的那天，咖啡館裡鎮日放著死了快有十五年的貓王的老歌（大概是最近有幾部以六〇年代為背景的電影賣座不錯所帶起的懷舊風吧），於是我的主人翁當場把我對六〇年代有的沒有的知識、掏垃圾般的全數索去，於是他擁有了柏克萊的學位，於是他和他的女伴老像呼了麻似的不擇地皆可出的交歡，幻想自己是彼時的「花的兒女」，他甚至因為對現實理想為何老是斷裂的鬱鬱不解，而搬出卡爾·巴柏、馬庫色以及另幾名我並不熟悉也不大喜歡的學者（因此害我延擱了兩天進度做翻書查證的工作，向他們尋求奧援或對話一番）。

文章終了（也就是副刊主編再三叮囑我千萬別超過兩天可刊畢的第一萬一千九百多字時），他不免媚俗的對聽他演講的大學生們再次宣稱：「絕對、絕對，別信任三十歲以上的人！」學生們的反應不難描摹，我卻耿耿於懷的擲下筆，以為他這句話是專門對我發的，在他眼中，我彷彿是個無用不堪的老爸爸。

類此的例子，尚有不少，比方說，後來我換了一家咖啡館，其布置是標準的英

國風，厚重茶色的紫檀木地板和桌椅，鋪著綴有比利時蕾絲邊的桌布，四壁貼著繁複的玫瑰花藤蔓圖案的壁紙，其上掛著一幅幅裱框似骨董的手繪植物圖鑑好像從林奈的植物書裡裁下來的，英國骨瓷的餐具和地中海風的彩色手製玻璃水杯，牆角的大青花瓷缸種著冷溫帶的觀葉植物，暖房似的窗玻璃外吊滿養得肥綠的常春藤彷彿莎翁故居……

如此貴族、如此維多利亞時代氣氛的咖啡館，我異常順利的（因為消費甚昂，我不得不縮短工作天）完成一篇我也感到意外的小說，典雅含蓄的描述二男子的同性戀感情，大異於現下我的同業們處理此題材的赤裸裸。不久，有文學院的學生訪問我時善意的發表意見，說她覺得此篇小說味道很像佛斯特的《窗外有藍天》和《墨利斯的情人》，聞言我才恍然大悟。

後來去一家有數十年歷史的老上海開的咖啡館，沒想到其中也充斥著好多衣帽整齊考究的老人家，他們人手一支名貴的手杖，不看報時就以上海話大聲交談，才一兩天我就學會了「銅鈿」和「阿拉」的標準發音。不過真正吸引我的是他們熟練的用餐禮節和慷慨的消費──有幾個熟面孔根本就把這裡當作是他家的客廳，往往一個下午先後會見好幾批客人──完全不像一般保守節儉的退休老人。

漸漸的，我聽出了──起先沒要聽的，因為我一向覺得在咖啡館寫作時偷聽鄰

座的談話是極不道德的，但他們可能因為重聽的緣故實在說得太大聲了——好像他們的兒孫都不約而同分別在做著包娼包賭、包山包海的事業，他們日日充滿憂心和憤懣的始終不離此話題，不管談話的對象是彼此，還是他們從美國加拿大回來只會說英文的孫輩，還是幫他們家清掃或管家的中年婦人……

不久，我才發現他們口中的不肖兒孫是李登輝、宋楚瑜、郝柏村等國民黨從政黨員同志，誰叫他們談國事如家事、呼大官如兒孫，原來他們是該年底即將被迫退職的老國代。

接下去，我想你猜著了，我束手無策的任由進行中的小說被那幾人奪去做舞台，繼續上演他們的荒謬劇。

你還會吃驚有人評此篇小說堪稱成功的顛覆了白先勇鄉愁式的遺老經典嗎？

至此，我必須說明一下，我並無意嘲笑認真閱讀小說的讀者或評論者，實在是我忍不住要指出，在閱讀者看來嚴密或唯一可能的小說結構，在它的形成過程中其實是完全開放的、不可知的、充滿無數變數和危險，甚至大多數時候是無法盡如人（作者）意的——自然，我仍然相信也有一批為數頗具的作者，能進行頗具效率、意志百分之百貫穿全文的創作方式——例如我們——OK，例如我自己（我不打算侵犯其他同業對創作這一活動的解釋權），在小說進行中，一點點不足為人道的小

古都

068

因素都可能使它劇烈變動，好比我筆下的男女主角在小說中必須有一趟旅行，我正考慮要讓他們很自然的去墾丁還是宜蘭冬山河，當然後者可資發揮的餘地要多得多，但是此刻咖啡館裡正放著一首天真白癡的老校園民歌，我一點也不喜歡，但不幸它攜帶了我太多的記憶，那些當兵時往返高速公路野雞車上不停轟炸的「女孩，為什麼哭泣，是否心中藏著不如意……」，以及與哭泣的女孩真正分手後，不想回台北、休假日獨自一人跑到旗津閒蕩的日子……於是我的男女主角不去冬山河了，當然更不去墾丁，他們去旗津！

而後，他們在旗津過了一段我甚嫻熟，大約三千字的時光，我又面臨難關了，我感覺不出他們想分手或繼續下去或甚至結婚（我不願意像我的有些同業那樣樂於享受編派撥弄筆下主人翁的命運）。

如此擱筆了幾天，參加了一個消基會辦的座談會，上某電台與主持人對談青少年的生涯規劃，帶小外甥去木柵動物園參觀蝴蝶館與夜行動物館，最重要的，看了一本我不覺得怎麼好的日本同業村上春樹所寫的《挪威的森林》，當晚，很難得在家裡的書桌上，我迫不及待的接續下去，我的女主角與男主角做了一次火辣辣的愛，她的大膽令我咋舌不已，你知道，他們體力甚佳的玩樂終宵不肯稍歇，足足花去我兩千多字並竭盡所能為之描寫兩人交歡的種種細節，包括二人器官的長相及功

能等等。

凡此種種，我並不希望因為我的誠實提供，而讓你認為創作是一椿如此不科學、非理性、甚至癡人癡語的事情，儘管在有些人看來（如佛洛伊德），作者和精神病患者基本上是屬於同類型的人。

我更覺得創作是一個比精神病還神祕費解的大謎。前一刻，創作力還像熱病似的牢牢附著你身無藥可救，下一刻，它不明所以的棄你而去無影無蹤，絕不因你的繼續努力或引頸等待而再來臨，翻翻那些藝術年鑑吧，多少該年還被允為當代最重要的作者、畫家、劇作家……而後短則兩三年長則數十年，往往連部爛作品都無法再產生。

若是我們能平靜的接受這個事實，也許此時容格說的就不顯得那麼難懂了，他說：「浮士德並非歌德所創作，而是歌德為浮士德創造出來。」

主張有所謂集體潛意識的容格認為，作家的虛構幻覺並非是現實的替代物，而是源自一種人類自太古以來的原始經驗，其他人們或因恐懼而避諱之，將之化成一種活生生的現實經驗，其中若有成功的轉換成為當代意識觀的話，他將是一位帶領並塑造全人類潛意識的心靈生活者。

難怪 William Blake 說：「每一個詩人皆挺身於魔鬼的宴會中。」

那麼我們還會吃飽受心靈痛苦並曾接受心理治療的里爾克說：「假使我的魔鬼遠我而去，我怕我的天使也將展翼離去。」

於是乎，畢卡索說：「每一種創造在開始時都是一種破壞。」

竇加 Degas 說：「每個畫家在畫畫時，心裡的感覺就跟一個罪犯在犯罪時一樣。」

此二人的話就顯得易懂多了，他們都不約而同指出，每一個創造，都意味著舊有秩序的即將瓦解。

儘管我並不以被視同為精神病患者為恥（有人認為藝術家和精神病患者彷彿是人類心靈的雷達站，他們難以捕捉的原始生命力能較平常人預先感到既有社會秩序的鬆動傾塌），但我很願意採信心理學家 Rollo May 對此二者的區分解釋，他說，藝術作品好比一條河流，原始生命力好比河流中的水，而意識好比河水導向某一個方向的河岸，藝術家藉著意識所構築的河堤，以特有的「形式」（如十四行詩、七言律詩、十萬字小說或一塊四開大的畫布），將原始生命力導向我們前方有待開拓的領域；而精神病人好比「無岸之河」，意識的藩籬分崩離析，原始生命力或潛意識四處流竄，一發不能收拾，變成了一場「不醒之夢」。

紀德也說過類似的話，不朽的傑作由瘋狂開始，由理智完成。

我認為，戰勝原始生命力的是藝術家，落敗者是精神病患者。是的，就這麼簡單，就這麼慘烈。

也該用我自己的話來說了吧。

於是，我不免開始憂心忡忡，害怕自己長泅於無岸之河，酣睡於不醒之夢。

我只得失魂落魄面對我的十四行詩、律詩絕句、一塊畫布，和一團陶土⋯⋯

我花大部分的時間在找一家合適的咖啡館，深深迷信任何一家風格強烈詭異的咖啡館會篡奪並就此決定該篇或該書的風格，你知道，這幾年台北街頭小巷的咖啡館只會過多，而且為了凸顯自己利於競爭，家家無不在布置、菜單、音樂上極盡風格化個性化之能事，於是乎，我曾經坐在一間四周擺滿手製布偶，店主×媽媽繫著雪白圍裙在烘製小薑餅小杏仁餅的小店，我望著鋪了貓狗小熊圖案的桌布上的奶白色粗陶杯碟，盡力忍住可不要像我的一名同業好友過四十改行寫童話。

有時候我彷彿身處花房，困於兩株茂盛的川桐樹下，無窗的那一整面牆壁倒掛各式乾燥花葉並發著木乃伊的氣息，我被迫飲著魔女打扮的店主女孩所建議的一種阿爾卑斯山植物草茶，才發現我現下最想寫的一篇東西已被我一位女同業寫去，你看過嗎，去年在文學圈引起一陣討論的小說，描寫一個才二十五歲卻老衰若僧尼的

女子，隱居似的在某大廈頂端築一間這個咖啡館味道的小屋，成天曬曬藥草、自製怪茶、看看落日和城市天際線，是我近年看過最恐怖的作品。

也曾經在一家後現代風的咖啡館出沒，感覺特別冷的空調，露出五臟六腑似的管線的屋頂，服務生面容動作冷漠像機器人，我完全沒有進度，覺得自己在做一個非常不合時宜、非常可憐的事。

如此情況一直拖到夏天快過完，也就是嚴重落後我口頭承諾某出版社交書日期已差不多有半年時，我嘗試在一家咖啡館順利的開始寫作了。

該咖啡館真的一點也不特別，它在一家大眾化百貨公司的三樓角落，要不是上廁所或打公共電話，幾乎不可能發現它（我就是在一次該棟四樓餐廳的家庭聚餐、帶小外甥上廁所時發現的），它店裡不放音樂，其中一面牆壁是冰冷、泛著刀光的不鏽鋼材質，另兩面是從地到屋頂沒有任何框欄和上色的透明玻璃，大概要沒有懼高症的人才敢臨窗望之；剩下的一面是南歐式的麥稈白粉牆，地板是樸實不誇張的橡木，與造型簡單的座椅質料一致，可說整個店的風格有些混亂。

該店總共只有七八張桌子，除了用餐時刻，大部分時候只有我一個人，因此不會有因占用位子過久的不安。另外吸引我的就是，冰冷的玻璃窗抵消了溫暖的木頭地板，不鏽鋼銳利的鑿碎了充滿希臘羅馬神話的麥稈白粉牆……我終於得以保持超

然的再不被周遭環境所干擾。

最重要的，此店店名叫「威尼斯」，因此我非常順利的為此篇小說定名為〈威尼斯之死〉（往往，我在文章結束後還無法定名，有一兩次，甚至有點不敬業的拜託副刊編輯代為命名）。

〈威尼斯之死〉……可以寫些什麼呢？

維斯康堤的電影，湯瑪斯‧曼的小說，並無法給我任何一丁點的元素。

元素？

……你想知道我創作的業務機密嗎？

對有些同業來說，創作始發的剎那，可能彷彿像在一個生產線的機器上放入確定的原料，經過一番嚴密品管的製造過程，生產出與預期中一點不差的產品，沒有更壞，也沒有更好：自然更有些同業他們的機器彷彿是一部令人豔羨的印鈔機；對我而言，創作愈來愈像是在做一個化學實驗，倒入我直覺所需的各種元素，而後會有什麼樣的化學反應，什麼樣的產品（黃金或大便），我完全不知道，也不想控制，有時儘管隱約感到危險，也無意避免，因為此中不可預料的不可知正就是最吸引我的啊。

至於元素本身，那就更難以說明了，例如，為什麼選擇了A而揚棄掉B，為什

麼苦苦尋覓C，為什麼別人視若瑰寶的D（可能是某種專業的知識，或奇特稀有的生活經歷，或獨具慧眼的觀察結論……）在此刻簡直半點用處也沒有；為什麼會花十年、二十年，乃至一生，在等待E的出現，覺得缺了它便一切都無法進行……甚至有時具備了一切所需的元素，而獨缺那麼一個電光石火、一個再簡單不過的動作、一個好天氣、一種特定的心情、一種氣味（想想看，炭火味兒或明星花露水所能攜帶的豐富記憶）……也許就是一般沒有過創作經驗的人所以為的「靈感」。

依我個人的經驗，實驗（寫作）本身所需的時間短則一兩日，長則半個月，而元素的採擷則短自翻查字典裡的一個字，長到前述的數十年或甚至一生。大多數時候，我覺得自己最彷彿一個拾荒的人──打個岔兒，你讀過馬奎斯《百年孤寂》第一章嗎？吉甫賽魔法師賣給男主人的一塊超級大吸鐵，宣稱拖著它走過藏有金礦或寶藏處，便可將之吸出；男主人拖著它行過大街，果不其然吸到各種破銅爛鐵，包括一副十六世紀的武士盔甲──

就是那樣！我們這種創作方式的作者，正就是這個寫照，老是若有所思、若有所求的拖著一個大吸鐵，踽踽獨行於城市和荒野，更行過漫長人生的每一路段和角落。

而所汲汲吸求到的珍寶往往之於其他大多數人簡直如敝屣垃圾，我們所在意的

東西是如此的不同，你還會奇怪我們為什麼不事生產、不像大多數人那樣的熱中營生了嗎？

〈威尼斯之死〉，於是我又開始一場不醒之夢。

我決定，與數年前的自己展開一場對話，呈現在小說裡的形式是，兩個微近中年的老朋友（一在台北、一在威尼斯旅行）之間的通信，其使用的事實是，今天的我，與數年前曾一日之內踐踏威尼斯的我，在做或輕鬆或嚴肅的通信對話。

小說進行得很順利（儘管一天只有一千多字，比我平常的速度要遲緩多了），卻遲遲望不到有結束的跡象，你知道，有時三五天可以寫成一篇小說，卻一點也不感覺順利，與此篇的創作感覺正好相反。

不久，我才發現自己竟然是有意的，首先，我很喜歡這家不會給我好的壞的影響的咖啡館，我也很滿意這裡唯一的一位日班服務小姐，她每天穿著日本商社女職員的服裝，拘謹有禮的遞茶水外盡可能不打擾我（太平時代，我也許願意嘗試追求娶她為妻），最主要的，我發現自己深深掉入兩位老友的通信裡了，才在第二封信裡，一位我久矣不想的少年時代好友，就突然出現在草稿本上，並把在威尼斯旅行的該角色（我稱呼他為Ａ好了）給活生生的搶走，由於他亦荒誕亦感傷的風格十分符合我的原意，我便放手任由他發揮，而加倍專心的處理小說敘事者Ｂ的想法。

隨著小說的進行，我變得非常在意和期盼小說中A從威尼斯的來信。

通常我的實際工作時間不長而規律，一半以上的時間是在閱讀我帶去的書報雜誌，有時被迫讓一兩個推不掉的訪問打斷，有時不好意思的發發呆，實際花在下筆的時間每天大概不超過兩小時，然後一到自覺可以收工的時間，便到百貨公司的附設超市買一些水果和牛奶回家；在家裡的時候，不需任何努力的就可以把寫稿的事完全丟開。我且無論在小說進行得多熱烈，都一定週休二日，從不好奇小說的下一百字，或馬上可能急轉直下的劇情發展。

但是期待A的來信，打破了我這幾年已成固定的寫作習慣。

我從秋天寫到冬天，整個我最害怕的冬天，我都厚重衣裝的早出晚歸到威尼斯報到，連農曆年除夕都還寫到他們不得不提早打烊的黃昏六點鐘。

冬天快過去的時候，小說仍沒有任何結束的跡象，我覺得他們這對老朋友一往一來這樣漫漫的聊天實在很好、很令我羨慕，我實在找不出什麼理由結束它。而且我很珍惜藉此彷彿又與少年時的好友聯絡上，而在小說中他竟肯告訴我實話（這些年，我們雖都在台北，卻一年見不到一兩次，見面時也語多泛泛，我對他的圈子全無興趣，他對我的也一樣），老實說，我非常吃驚不在一起後的這些年他是如此的心境、如此的生活方式，我且很認真的閱讀小說中他以A身分告訴我的在威尼斯

的遊歷見聞，透過他一向怪異、無法與人相同的看法，我只覺得非常享受，甚至有種、有種⋯⋯幸福的感覺。

我不捨得結束它。

於是我想辦法找各種有的沒有的障礙物來阻擋自己。譬如小說中的Ｂ，一個事業忙碌有成的老雅痞，因為和Ａ的通信，而使得他與自己現下的生活和心境悄悄裂了縫隙，他變得什麼事都不想做，應付過緊張的午餐約會後，常常不交代行蹤的找一家生意冷清的小咖啡館，發發呆，等待他的朋友Ａ寄自威尼斯的信。

他所身處的小咖啡館，我很方便的就以威尼斯為場景做了兩三百字的描述，唯捨棄掉格格不入的那一面不鏽鋼牆和那兩片臨街的透明玻璃牆，於是，困難就來了，我必須為咖啡館的南歐式麥稈白粉牆上挑一幅畫懸掛，這或可呼應我前述中所謂的元素，一個適當的元素，可以引發一場精采、劇變的實驗過程和結果，哪怕在閱讀者的眼裡，只是區區閃過的一秒鐘、一句話。

最可能的應該是保羅・克利的畫，因為他的畫作確實是我在很多咖啡館和國外的旅館住房中看過的，但⋯⋯太尋常，似乎就意味著意義不在了；梵谷的？前年的逝世一百週年已被炒作過熱過俗；達利的呢？我並無法為他的變形鐘和大便做饒富趣味的延伸解釋；克林姆？倒有些符合我想要的世紀末頹廢感，但，過於準確就

古都

078

缺乏留白了；那麼雷諾瓦的露天舞會呢？我也見過別的咖啡館掛過，其歡樂氣氛頗可反襯出Ｂ的寥落心情，不過一意識到這種安排過於遵守寫作ＡＢＣ，便又將之取下。

那就乾脆按照威尼斯咖啡館裡面南歐式牆上掛的，十八世紀加爾第所繪的《威尼斯鹹水湖風光》吧，往往最簡單最尋常的，反而涵義深遠……

就在我苦苦找畫的那幾日，Ａ擅自抽空去費里尼的家鄉利米尼旅行數日，為此，我又重新找出一些費里尼的電影再仔細看過，以便讀懂他寄自利米尼的信；我真怕他會心血來潮就近去拉芬那，那我豈不要搬出大學以後再沒讀過的但丁《神曲》來溫故一番？

他去了佛羅倫斯！

我不情不願的著手蒐集有關文藝復興時期的歷史、畫冊、建築林園、宗教……等資料。就在我細細閱讀麥狄奇家族並甚感趣味盎然時，Ａ只在佛羅倫斯待了兩天就率然離去，不談畫（想想看，米開朗基羅與達文西，還有提香……）、不談落滿鴿糞的大衛像、也不去參觀人人必去的佛羅倫斯大教堂（我本想藉此談談此建築的設計師 Brunelleschi），他甚至不去城外那條《窗外有藍天》拍攝背景的亞諾河邊，以便有一段文章可做。他只去了老市集，盤桓半日，買了一個手工製的牛皮背

包，除此之外，牢騷滿腹的抱怨佛羅倫斯人看似優雅世故實則做作虛偽，很像日本京都人。

我觀信默然，害怕他興起又跑到西西里島或比薩或拉斐爾的出生小城烏畢諾……我不明白為何Ａ的心緒始終如此鬱鬱不得解。

這時候，小說長度也遠超過主編約稿時向我訂下的字數。我仍然不知如何結束它，直到Ａ又返回威尼斯，並又寫了封寄自該處的信，信裡頭，Ａ說：「我在旅行開始之際，曾想像自己是阿果號上的那些少年英雄們，冒險犯難要去尋找金羊毛……」才看兩句，我已隱隱感覺出隱藏其中十分巨大的憂傷，但我完全無力改變它、中止它──第一次，我不僅不害怕，而且是如此不願意從這不醒之夢中醒來──信的末尾，Ａ的敘述又回復溫馨，拜託我、不、拜託文中的Ｂ，拜託我們代他栽種他旅途中採擷的花種，Ａ瑣碎的形容花種的來源……

至此，我已完全知道Ａ要做什麼了。

因此我中斷了數日未去威尼斯咖啡館，在家改現在看來不再重要的小節，比如，畢竟我還是把南歐式牆上的畫，給換掛成簡簡單單一幅畢卡索的《唐吉訶德》，我還更動了一兩封信的次序……百無聊賴得彷彿一名等待拂曉攻擊的士兵在擦他的槍。

我不想面對那最終的一日。

……

最終的那日，已經夏天了。

咖啡館附近人行道旁的構樹，結著滿樹楊梅一樣豔紅的果實，引來一樹快樂尖叫的綠繡眼，然而這幾個元素如今都於我無益了。

隨後叫我大吃一驚的是，威尼斯咖啡館不一樣了！進門迎上來的不是我快把她當作妻子的那女子，是一個白襯衫、緊身黑西褲、留著ＫＴＶ服務生髮型的年輕男子（令我直覺斷言他是逃兵單躲來台北的），他遞給我一份完全不同的 MENU，我慌張的亂點一項，邊打量周遭，牆壁地板桌椅都沒改變，連牆上的畫都仍是那幅《威尼斯鹹水湖風光》。

我才驚魂甫定，年輕男子捧上的是一副壓克力餐具，我無法置信的招之前來，詢問他老闆是否易人？他點頭同意我，沒多話。

用餐畢，我才發現自己多麼想念以前用的白瓷盤、菸灰缸和造型美麗的水晶玻璃水杯。不待他收罄桌子、遞上我的附餐熱咖啡，我把草稿本取出，輕易的執行了Ａ一意想做的事：他在威尼斯、成功的槍擊了自己。

延宕數日，前後卻只費了我五分鐘、三百字。

聞訊後的 B，坐在小小的、生意清淡、南歐式麥稈白粉牆上掛有畢卡索《唐吉訶德》的小咖啡館裡等待著，等待窗外的暮色漸漸四合，等待冬天過去，等待他的朋友 A 寄自威尼斯的最後一封（也許存在）的信。

就這樣，我把 B 棄在該處等待。畫上句號。

我走在長滿豔紅果實的構樹人行道上，不知手腳發抖的自己哀傷的到底是什麼。

是 A 的自戕嗎？

或是從此我失去了一家熟稔、工作效率甚佳的咖啡館？

還是這才發現實際上遭我處決的並非 A，而是真實生活中的少年時代的好朋友？原來「生不如死」，小說中的 A，畢竟是真正的死了，所以無法再與 B 有任何聯繫了，然而真實世界裡和我一樣同在這城市活得好好的少年時代的好朋友，卻早與我音信斷絕，形同生死陌路？

我走在長滿豔紅果實的構樹人行道上，五月梅雨季前的下午燠熱難耐，迎面一群群剛放學的國中女生擦肩而過，個個皆健壯且汗臭，但我猜想她們之中有一人或許將來會是我的妻子，因為我是如此的孤獨和寂寞。

一九九二年七月

拉

曼

查

志

士

我偶爾會經過當初我險些倒下的地點，清楚明白當時撐持我不肯倒下的那一股力量，完全靠著「不願意此生就這樣隨隨便便被發現並就此認定」的心情。

嚴格的說，我開始有了為自己的死亡預備做準備的念頭，是從那一日開始的。

事情可能得從那一日的前夜說起。

為了次日中午必須繳的一篇根本不重要的短稿，循例，我的腦子不聽使喚的管自開動起，無視於夢境的引誘，失眠到天亮。

幾個小時後，趁著尚有早餐供應的時間，我到一家日式連鎖咖啡館上工，不花力氣的把那篇不重要的短稿寫畢，我這也才有暇感覺到，為了抵抗過冷的空調冷氣，我已經喝下五六杯滾燙的續杯咖啡，咖啡彷彿被下了毒似的使我手腳末端麻痺起來，我只得在窄小的座位上暗暗的伸個懶腰，卻發現嘴唇也麻得無法張開打呵欠，更怪異的是，那三十幾年而我從來不覺其存在的內臟皮囊，也個個凍縮得如小拳頭似的緊緊懸吊在體腔中……我望著殷殷前來倒咖啡的女孩兒，其圍裙漿熨潔淨如護士制服，幾乎想向她求救。

我正焦急的琢磨該如何向這樣一位陌生人——儘管這位笑容可掬的陌生人絕對不會拒絕我諸如「請多給我一個奶油球」、「MENU 再給我一下」、「哪裡可以打電話」之類的請求——向一位陌生人求救的修辭……救命？請幫我叫一輛救護車？請扶我站起來？……

然而顯然有人來不及了！我聽到店裡時刻播放的某電台正播著午間頭條新聞：

前王朝的末代王孫某某，清晨被人發現死在醫院體檢病房，正值盛年，死因不明，死狀安詳……也就是說，他根本沒來得及掙扎求援。

這令我當下立時決定拿了文稿和隨身包就結帳離去。

我在路邊等待公車或計程車隨便誰先來這樣兩三分鐘都不肯暈倒，心裡清楚明白只要願意，隨時就可緩緩倒下並沉沉的長眠，然後四周會陸續響起尖叫聲、雜雜私語聲，會有很多人頭逆著光俯視著出現在我瞳孔放大中的視網膜上，就像所有電影處理這種場面所用的鏡位畫面一樣。

這樣的死法說什麼都太庸俗了，儘管此時內臟的冰冷已往皮肉森森侵襲，我沒有縱容自己就此倒下歇息，我勉力向不遠處一家又老又小的診所挪移著，腦子曝白了因此不知費時有多久，我告訴迎上前來、年紀和咖啡館服務生一般大的五專打工小護士說：「我快要暈倒了，請幫忙。」

稍有意識時，我躺在一張窄窄的診療床上，國台語混雜的白髮老醫生聲音好大好遠好慢的在回答我滿眼的困惑疑問：「心臟缺氧啦，現在給你打點滴，你躺一下再走，想打電話通知家人就拜託護士小姐，免熬夜，免吃刺激性的東西，心律不整很嚴重喔。」

警告完，他去看下一個病人。

言簡意賅完全被他說中，失眠、喝太多咖啡、心律不整……奇怪我眼角為什麼含著兩滴非常非常冰冷的淚水？

我仍然覺得冷，但僅僅只是老舊日式建築診療室裡的清冷，不再是不過幾分鐘前生命現象逐漸流失中的死寂的麻冷，然而，我猶豫著，魂魄浮離於大氣似的，彷彿覺得不必然必須選擇回到這個軀體，我想念著那具幾分鐘前緩緩在路邊倒下來的身體，倒的地方在麥當勞前的公車站牌群旁，因此一定有一些也在等車的帶著孩子的年輕媽媽或爺孫們，眼尖的小孩一定最先發覺，然後媽媽們馬上警覺的把孩子本能的拉開或蔽翼在其翅膀底下，直覺認定那不是乞丐遊民就是神經病要不鼠疫霍亂癲癇患者病發了……，但會有較見過場面的爺爺們趨前探察，然後依我尚稱公民化的衣裝把我從前述的嫌疑名單除去，決定救助我。

他們望著我睜著但擴大了許多的瞳孔大聲吼問：「你誰？要通知誰？電話號碼？」並指派圍觀上來的某年輕媽媽：「你們負責打電話叫救護車！」

我誰？要通知誰？電話號碼？……

我思索著尋常匆忙的早晨，親人告訴我而我循例當場忘記的行蹤，彷彿類似這樣……，「十點半會去老×的公司，中午得去××銀對保，有沒有什麼費要繳？下午我會去……，要不要幫你帶……，不然決定了到時再叩我……」

於是我放棄了搜索追憶他的行蹤。

爺爺說：「沒辦法，看看他的包包吧。」

便在眾目睽睽因此不需要避嫌下，翻開我的隨身包……，讓我想想，鈔票銅板各若干、數條收銀機發票、一兩根乾淨未用的牙線、一張沖洗相片的收據單和同一家贈送的免費放大券，有，有一張名片……，是朋友昨天給的，倫敦一家超級便宜的小旅店地址，一宿一餐只收費十六英鎊，地址是 45 號 Lupton Street，電話和傳真是（071）4854075，儘管地址電話清清楚楚，這張名片當然無法提供與我有關的任何線索，爺爺只好掏我的貼身口袋，找出了一小包面紙，另一邊的口袋，他命令圍觀者某協助抬抬我的身軀，找出的，是餐紙一小疊，邊角印著我剛剛待過的日式咖啡館店名，有別於他們口袋中未印任何文字符號的麥當勞紙巾。

這時有人取出並展讀我的一點也不重要的短稿，從我一點也不重要的筆名得不到任何可資說明我身分的訊息……

終於有一名心軟膽小的年輕媽媽掩泣叫喊起來，「趕快誰來把他送醫院吧！」

這是我最害怕的了……就這樣，我可能會以無名植物人的身分在醫院躺不知多久，當然更可能會以路倒無名屍在市立殯儀館的冷藏庫等候經年……

這一切，只因為我的資料不備嗎？

從那一刻起，就從那一刻起，我開始有了預為自己的死亡，或該說，為一種不可逆料的死亡狀態做做準備的念頭。

也許你會覺得這再簡單不過，只消日後隨身攜帶一份證照或名片，或如同一些有嚴重心臟疾病患者片刻不離身的字條，上面寫著拜託發現者把他送往哪家醫院，並依條列電話號碼優先通知哪幾位親人，更重要的是請取出他衣袋中小瓶內的硝化苷油藥丸塞於舌下……不是，我不是這個意思，或該說，原本我的擔心也許源本於此，但一發展下去，便早就遠遠超過於此了。

我試著以一兩個例子解釋一下。

並不很久以前，我曾在一個公共電話亭撿到一只皮夾，皮夾的式樣明顯仿冒某名牌的款式圖案，但質料卻差得很，因此我不存好奇的打開它，純粹僅想找到皮夾主人的通訊地址，以便能日行一善的寄給他或她──在打開它之前，我尚且覺不出這個中性味道的皮夾的主人是男是女──

皮夾很厚，儘管錢鈔好可憐的只有四百元，除了一張劉德華的彩照，煞有介事的大約有十來張卡，電話卡、某KTV的會員折扣卡、某連鎖髮廊的學生卡、某麵包店的消費集點卡、等待抽獎揭曉的存根卡、電視遊樂器卡帶的會員交換卡、某家泡沫紅茶店店長的名片、宣誓不抽菸的榮譽卡……

我大概才看到第三張，就已經能清楚勾描出皮夾主人：一個（在我看來）好生貧乏的十六七歲女學生⋯⋯，事實也的確如此，稍後我隨便從一張游泳證上看到相去不多的資料，包括她所念的學校級別，便得以抽空把皮夾還給她。

再說另一個例子。

不知道你有沒有讀過西班牙導演布紐爾的自傳，我記得他說過他年過六十以後，便不願再離鄉出遠門，只因為害怕客死異鄉，害怕會像電影畫面似的被攤開散落一地的行李證件、蠅蠅閃響的救護車警車、旅館老闆、地方警察、小鎮記者、看熱鬧的⋯⋯零亂，狼狽不堪。

最重要的，他大概害怕百口莫辯的就這樣被辨識並認定，不管這輩子活得認不認真、複不複雜、值不值得。

相關的另一個但不關死亡的例子，某篇小說精采描述一段婉約少婦的出軌情事，在一個與情人偶遇但應該可以偷情的成熟時機，少婦卻卻步了，攔阻她的當然不是道德，不是深情善待她的丈夫，不是殺風景的來不及避孕⋯⋯而是，那日她僅僅只是一時興起外出走走買菜，物質匱乏的年代，她著的底衫是已洗得破爛薑黃的家常棉布內衣⋯⋯

若是你呢？

依照他的本意「虎死留皮」呢？

因此我竟打心底羨慕起那些慢性病患者，或走近人生盡頭的老人如布紐爾，他們可以因死亡的指日可期，而有足夠的時間緩緩預做準備——我說的當然不只是立遺囑或精心安排自己的喪禮之類的，我是說，他們可以有充分的時間決定，一生視若珍寶保存下來的日記、信件、相片或奇異的收藏癖好，該燒毀哪些又或該留下哪些——

例如曾經我應傷心欲絕的師母之請，去替猝逝的老師整理研究室的遺物，我在他堆積成山的周代城邦研究資料中，發現一本他記載著結婚三十年來與師母燕好的日期，其上並做著絕對是密碼的複雜記號，大概說明他對該次表現的滿意程度——，我就不知道該為長者諱的燒毀它，或將之視若珍寶的交給師母。

其實不只銷毀，甚至可以偽造或布置成我想要別人以為的那樣，小自弄幾張慈善捐款的收據，抄寫一些可堪閱讀甚至親人願意自費出版的隨身札記，甚至，更細膩如我曾在報上醫藥保健版看到的，一名年過七十裝置了人工陰莖的爺爺讀者詢問，他該不該在去大陸定居前將之取出，因為害怕日後火葬，子孫會從燒鎔不去的奇怪零件中發現他的祕密。

這麼說好了，這些例子都加速使我堅信，如果死亡是猝不及防而至，有誰可以

所以，你就該明瞭我所說的預做準備，早就超過避免成為無名植物人或無名屍的消極處置，而發展到非常主動出擊甚至堪稱精緻的境界了。

我決定先從我的皮夾整蕭起。

我把顯得邋遢的牙線第一個丟掉，此外丟掉的還有幾張別人給我而我基於禮貌收下卻已不記得物主了的名片、幾枚莫名其妙的彩色迴紋針、一個某罐裝飲料「再來一罐」的兌換拉環、一張圖書禮券……總之都是些除了顯示寒酸毫無他意的垃圾。

那麼，什麼才是別具意義、充滿說明性、而又可以極其自然的出現在皮夾裡的東西呢？

首先，我的工作無需印製名片，自然也沒有什麼服務證工作證之類的，我沒有駕照，我沒有加入任何嚴肅或休閒的會員組織，因此我沒有會員證卡，我甚至沒有任何信用卡！

──說起這個信用卡，實在是讓人大感不平與不解的一樁事，你一定也有這樣的經驗，你在百貨公司或大型商店餐廳消費付款時，店員常會問一句：「請問付現？還是刷卡？」

根據我的觀察，儘管店員的語氣通常很中性很單純，但付現者總是囁嚅以對，

刷卡者則大聲乾脆的應答。這不很奇怪嗎？刷卡者，不是欠債者嗎？起碼當下的意義是：我雖然可以有錢付費，但這一會兒或數十日內，透過銀行信用擔保體系，我可以欠你債不還。

而付現的人呢？現在就可以一手交錢一手交貨，兩不相欠，人我不負。那為什麼必須心虛？刷卡的，又在理直氣壯什麼？

難道，只因為後者的曾經被徵信，被證明現在有、未來也有生產能力，遂而得以進入體制，所以可被信任不疑；而前者，不欠人的人，為什麼會有揮之不去的心虛怯懦，難道只因為他的生產方式或生產力被視同如農業社會的以物易物，是如此的不文明不科學、不可預期，因此無法納入工商社會暨其統治機制裡，簡單說，當你不是體制裡一枚用途明確而必要的螺絲釘，他們對你的信任因此必得眼見為憑，而且一次的銀貨兩訖，並無法保證下一次、下下次的交易信用……，你是這樣的被信任，不被龐大逼人的體制信任並接納，所以你心虛，所以你怯懦，儘管你可能頗有能力、也不懶惰、甚至不一定貧窮，起碼不是不繳稅的乞丐或流浪漢。

反之，皮夾一打開，有厚厚一串各種卡的人，是意味著被各種眾多的大組織小組織所信任，所爭相接納，所不可或……，那樣的顧盼自信，原來是來自於「我有卡，故我在」啊！

人子在世上是沒有名字、沒有棲身之地？

我的皮夾空空，無可填充，無能偽裝，但總總我不願意打開它的人第一眼就斷定這一定是屬於一名生活失敗者的，於是我放入千元鈔數張並長久不動用，好像它們生成是此皮夾的一部分。

皮夾雖空，但也不至於塞得進護照，我掙扎著不放棄可以清楚簡單說明我身分的身分證——當兩千一百萬人裡有兩千一百萬張的身分證時，你看，意義又流失了——我甚至無法依你所建議我的，假作不經心的放一張寫了我的姓名和電話地址的小紙條，那也就是說，不要說什麼無名植物人無名路倒屍了，這早晚根本就會是一個就算好心人撿到了也無法寄還給我的無名皮夾啊。

……唉，一個多麼無滋無味無色無嗅的皮夾啊，偶爾，我假作陌生人一般的審視玩味著它，揣測撿到的好心人一定會略微感傷的對之嘸嘆：你的主人是個多麼無趣無謂的人呀……

疏淡了皮夾的偽裝與經營之後，曾經一段時間，我轉而小心留神起自己的衣裝來。尤其是內衣褲，以隨時待命猝不及防的偷情——不不，死亡的突然到訪。

內衣褲是很重要的，不只是不能破舊薑黃而已，在心理學社會學乃至政治層面，它比太多東西都要能生動說明它的主人，柯林頓不是就面帶羞澀的回答，他的

093　拉曼查志士

內褲並非現下流行的寬鬆四角格子紋的，而是緊身接近丁字褲型的。

看看他的外交政策！

然而我的勤於換洗更替甚至重新購置新的內衣褲——這又費了我不少心思，比如我放棄淘汰了可能使我迭遭揣測的黑色、紫色或柯林頓式的緊身小底褲，幾經思量，我索性在沒有熱心店員騷擾的屈臣氏開架式內衣櫃，選購了幾套純白全棉的卡文克萊內衣，雖然它的雅痞風格並不適合我的非社會況味——這些差點引發我的親人的懷疑，以為我有若何新的感情對象，我們甚至大吵一架，我沒有說出真相，若有那樣一日我先他而去，屆時一身潔淨的內衣褲將會使得悲痛的他想起很多個夜晚沐浴後的我，那不少美好的回憶，該能多少撫慰他吧。

但是我的準備工作並未因此終止。

必須出門工作的日子，我偶爾會經過當初我險些倒下的那一股力量，完全靠著「不願意此生就這樣隨隨便便被發現並就此認定」的心情。

隨隨便便被發現，除了意味著狀態、皮夾、衣裝，還有地點。

是的，地點，我細細回想著自己平日外出的動線，發現儘管有隨興遊蕩的習慣，其實倒也亂中有序，起碼一個訓練有素的情治人員或徵信社小弟就不難跟監掌

控。

雖然如此，我仍努力盡可能單純化自己的日常動線，不去那些會費人猜解的地方，哪怕只是僅僅走過。

這麼說好了，我曾有一位非常正直純真、宗教信仰虔誠、律己甚嚴的大學同學，結果去年他在一場有名的色情三溫暖大火中喪命。他被清理火場的消防人員發現衣裝整齊的燻死在該樓層走廊上。我們去弔慰同樣是我們同學的他的妻子，在溫馨的一起追憶他生前的種種善良行徑故一定能進天國的同時，總無法完全擺脫去那一絲絲微妙隱約的尷尬……，好人同學到底去那裡幹嘛？

我們問不出口，她也不能答。

因此我決計不走過香煙繚繞、醜怪惡俗的社區小廟，我不願死在那樣一個神壇之前，讓我的親人以為我改變了宗教信仰。

我不願意去大學畢業以後就幾乎沒再去過的西門町一帶，怕遍布的老舊色情暗巷使我遭到如同我的好人同學一樣的被懷疑下場，並永遠百口莫辯。

從此我匆匆走過一些原本我很喜歡的寧靜的、時間停格凍結的、有日式房子的幽綠巷道，不再駐足漫步，避免屆時我的親人猜測我是否在此暗藏了私生小孩，或幽會一名老情人。

我甚至不敢再像年輕時候一樣隨興漫遊，以免萬一被發現在某個可欣賞日落潮

汐的海灘，我的有卡的親人會如何的終生大惑不解，並因此哀痛良深。

畢竟，死的造訪這一生不過一次，所以，當為它的來臨預作準備。

數百年前的拉曼查志士如此望空疾呼——

．．．．．

　　用禮於野人

　　求情於鐵石

　　隨風追逐

而我，害怕字跡蠹蝕，不可復辨，故銘之。

一九九四年十月

第

凡內早餐

出租自己的勞動，就是開始自己的奴隸生活——我做女奴，已經有九年了。我需要一顆鑽石，使我重獲自由。

職棒六年，職場九年的春天，我初初萌生想要買一顆鑽石的念頭，而且要就非得是一顆第凡內的獨粒鑽戒，可不是其他任何品牌或老土銀樓的，也不要彩鑽碎鑽拼嵌的……，我要一個白金指環、六爪鑲嵌的典型第凡內圓形明亮切割的鑽戒。

為什麼呢？

為什麼非得是第凡內的？為什麼……會是鑽石？

常識告訴你我，全球一般大眾手中擁有的鑽石至少超過五億克拉，若是哪一天，一向壟斷掌控全世界八十％鑽石原石的生產買賣庫存的德比爾斯公司（De Beers Consolidated Mines Ltd.）失控或倒閉（雖然很不可能），再無法強力控制如澳洲、蘇俄、薩伊、波札那在內的諸國尚存地底的豐富鑽石礦藏，那麼，窮我所有能力擁有的不到一克拉的鑽石的價值，與一朵新鮮的玫瑰花或一顆俯拾即得的美麗鵝卵石，還真難以比較得出呢！

所以與保值無關。

儘管我很倒楣的抽籤中了辦公室裡這個月的會錢，被迫擁有一筆七、八萬的閒錢，我不能出國，因為已經無假可請；我當然不會傻到存銀行定存活生生的被通貨膨脹給吞噬光；我連無風險的低利借人都無人可借呢；房子和看得上眼的車子買不起，而且多少我仍然有些心存僥倖，也許未來的結婚對象會擁有其中一二，或至不

濟到時再在愛情的催眠下甘願一起辛苦努力吧。

但也不是有一筆閒錢才有這個想買鑽石的念頭的，以往，每逢中籤或會尾，我幾乎不需任何考慮的選擇出國旅遊，或做一項有效率、理性的開銷，例如搬遷到我喜歡的區段巷子裡的頂樓違建套房，預繳押金和全年的房租；我還投資過以前工作過雜誌社的年度增資……我也曾經抱著有去無回的心情給老爸幫助大陸親戚做鄉鎮企業……

公元前數百年，鑽石在印度首次被發現，人們深信它能保佑佩帶者免遭蛇咬、火燒、毒侵、疾病、劫財及詛咒。

希臘人稱鑽石為 adamas，意即不能磨滅。

羅馬人用它來切鐵。

中國人用它作雕刻工具。

所以，除了鑽石，還有什麼比它更適合誌記永恆不渝的盟誓？

美鑽傳真愛，此情永綿綿，鑽石恆久遠，一顆永流傳。

………

廣告這麼說。還真令人毛骨悚然呢——當然我不是指真愛或綿綿真情什麼

——不朽、永恆，想想看，當你擁有的東西會長命於你、甚至不滅永存，它不因你、它的物主的不在而不在，好比說你喜歡的那顆四四・五克拉，以其不祥的傳奇歷史名聞於世的 HOPE 藍鑽，此鑽因其切割後最初購得的主人亨利・菲力・Hope 得名，它在害遍了歷屆主人後，目前收藏於華盛頓史密桑歷史博物館。

FLORENTINE 鑽，重一三七・二七克拉，美極了的金黃色鑽，雙玫瑰式切磨成一二六瓣面，是最有名的義大利寶石，相傳最初由法國公爵所擁有，後來輾轉落入奧國國王手中，最後隨奧匈帝國的滅亡而不知所終。

不用說了，它大約像一隻異教神像的眼，兀自閃著冷冷的光輝，在某一架王公貴族散落的枯骨堆中吧。

一點點的不公平、一點點的恐怖……，為什麼？為什麼想擁有一個肯定在你身後會不朽不爛的東西呢？

年前不久，我很莽撞，因此反而成功的邀約了一名據說久已不接受媒體採訪的，該怎麼界定她，她曾經跨足過兩三個圈子，最初是以寫作類似保育文章起家的。之所以說因為莽撞而成功，是從我的同事們臉上壓抑但仍然掩藏不住的波動中看出，原來我中了大獎！

比較願意與我彼此示弱的小慧告訴我，她們根本不敢找那位作家，以下就稱她

為A吧，因為A近年打死不上任何形式的媒體，聽說就算你千方百計打聽到了她保密甚嚴的電話、並成功突破傳真機或答錄機的空檔，居然直接是她本人接聽，也一定被嚴峻冰冷的聲調毫不猶豫拒絕，並且還質問你電話號碼從哪裡要來的，一副非要追究出洩密禍首不可的樣子。

我回想著，當初我是如何讓A好像沒什麼太多考慮就接受我的訪問的……，我好像沒有任何禮節的劈頭告訴她，我高中時候很喜歡讀她的文章，我很想知道她這些年好嗎，在做什麼，因為完全看不到她的消息，而且她也沒有任何近作。

其實我進這一份專業雜誌不到一年，大概對行規，也就是同事們心中的大牌小牌、合作的或難惹的採訪對象不甚了了，沒有小心翼翼的預設任何立場，反而使我顯得充滿初生之犢式的天真熱情，讓人不忍狠心拒絕吧，小慧這麼說過我。

總之，我和A碰了面，而且是依我的時間我的地點，其中還因為我們公司尾牙而改約過，不過這是她的意思，她說她時間很自由，儘管配合我的上班和習慣去的地點——這簡直又讓同事們臉上的血脈輕輕跳動了一下。

距離上一次看到A，可能有近十年了，不過那次是隔著遙遙的人群，她和一些前來聲援的社運人士一起，我們坐在校鐘下進行第三天的絕食抗議，我這麼告訴她，以作為我說「你都沒有變耶」的證明。

A並不謙辭，也沒任何要與我一起回味往事的意思，她且對我的問題有點答非所問，儘管我所工作的雜誌大不同於其他廣告氣息濃厚的同業雜誌，但也難以把她近於大隱於市的素樸生活哲學裝進我原先預設好的主題裡，我們只好很快有志一同的結束訪問，一起回到平常人的模樣。

這也很有趣，根據我的經驗，「採訪」，簡直就是一場表演，訪問的人假裝自己是一個什麼都不知道的人，受訪者則當場扮演一個上知天文下知地理、對世事皆有一肚子獨特見解的人，所以我特別喜歡訪問結束的那一刻，彷彿魔咒解除，大家重新做人，我的受訪者，常常連小自這家餐廳的來歷或招牌名點，大至近日政經、媒體、演藝圈的熱門八卦都不知道呢！

重新開始做人，我們各自重點了一份飲料，就在等待我的花茶和她的熱咖啡時，她略有點抱歉的告訴我，之所以接受我的訪問主要是想跟我聊聊天——

跟我?!

我沉默著，忍不住想到前不久我們的元首才指示交辦相關單位研究「新人類」，他充滿自信肯定的語調，讓我以為好像這世界真的新發現一種新人種，而且

她趕快補充，她的生活圈子久已沒有新人類這個年齡層的朋友，她認為，這是一個極自然的機緣，希望我不會介意。

在基本的解剖學和生理特徵可以使用科學方法明確檢驗出，好比你的染色體有一對是如何如何，你的左腦前葉是怎樣怎樣。

在A的眼裡，不、耳裡，因為她下決心受訪的當時我們是透過電話，我是，新人類？我記得看過的資料裡，A頂多大我十歲，但我覺得我疲憊憔悴過她十倍（不管她說的素樸生活方式是真是假），我的生活遠較她說的素樸生活（就算是真的）要艱困十倍。

就在那微妙的沉默裡（她非常善解人意以致誤以為我在生氣），我才看到她左手中指上的那顆閃著火光的鑽戒，第凡內的白金指環六爪鑲嵌，過往我在廣告頁上曾經看過卻毫無感覺的，可能是她指頭很瘦的緣故，指環容易轉動，剛剛受訪表演時，鑽石一定轉到手掌內以致我沒注意到，現在，靜靜停在她手指背上，小小一粒，不會超過五十分，非常非常，素樸的一顆鑽戒。

——異教的偶像，是金的、是銀的、是人手所造的。

有口卻不能言，有眼卻不能看，

有耳卻不能聽，口中也沒有氣息，

造他的要和他一樣，凡靠他的，也要如此。

——《詩篇》二二五篇

我想起一位我曾經喜歡的浪漫男作家，他描述旅居日本時電車上看到的日本上班女性，有時即使有空位也不坐，而只靜靜的面窗不言不笑的凝立著，令他想到莊子裡寫到的尾生之信，尾生與女子期於梁下，女子不來，水至不去，尾生抱梁柱而死。

後來我在別處生活情報讀到，日本的職場女性，由於一整天得對客戶、對公司裡的男性同事和上司殷殷笑語不停，便下班後寧可面壁以放任自己一張厭煩疲累垮掉的臉，也不要因面人坐著又必須對即使是陌生同車人又忍不住得重新掛上的謙沖婉約的面具。

後泡沫經濟時期，我是說日本，疲憊的職場女子，常以不可能買得起房子的間錢例如年終獎金，為自己買一顆一克拉的鑽戒，以犒賞或撫慰自己整年的辛勞，故有所謂一克拉女性。當然，我才看過這則報導沒兩年，已很可思議的發展到為兩克拉女性了。

也是因為要犒賞撫慰自己的辛勞，才打算買一顆A手上同樣的素樸鑽戒嗎？

Star of the South，南方之星，重一二八‧八克拉，是一名巴西女奴在礦場無意中發現的，不用說，它的發現，使她因此重獲自由。

依照貝魁爾在《社會經濟和政治經濟的新理論》的說法——出租自己的勞動，就是開始自己的奴隸生活——我做女奴，已經有九年了。

我需要一顆鑽石，使我重獲自由。

差不多同個時候，我日常下班等公車的地點，一幢經年在敲打裝潢的建築物終於開幕了，是一家精品百貨公司，我曾在一次穿得比較正經的時候進去匆匆逛過一圈，彷彿在逛一座現代博物館，沒有一樣東西是我買得起的，大概它的營業額是靠百貨公司後面那幢住有院長夫人綜藝教父股市大亨們所支撐，——過多有用東西的生產，會生產出過多的無用人口——《手稿》這麼說過，然而「無用的人口」，說的是我，還是供養這家百貨公司的官夫人和大亨太太們？

我每天必須被迫在這裡等公車，冷雨天氣，通常就得停留更久，即使偶爾沒帶傘，我也不願意再進去等候，儘管它的一樓大廳有很多美麗舒適如同五星級飯店大廳的沙發座椅任人使用。

現代博物館臨人行道的一樓櫥窗仍在裝修，布幕掩著遲遲不開，我往往對著它發呆，藉尾生之信的姿態不去面對同樣每天在等公車、已有些面熟的路人甲乙丙。

這竟漸漸成了我每天唯一很自由、很心靈的時間，我甚至為此放棄了看一份晚報佐一杯三十五元咖啡以躲避交通尖峰的習慣。

——在中世紀，一個等級只要他能佩劍，就能成為自由的人。

在游牧民族，擁有馬，就能成為自由的人，並有可能參加共同體生活——

如何我認為在那冷濕、等待回巢穴的時刻，一顆鑽石，可以使我成為自由的人？

自然我想到小馬。他的標準說法一定是，你這是被商品美學刺激控制所產生的假需求……，而我的天啊鑽石，豈不是最典型標準的商品拜物教的象徵嗎！想想看，比ＡＴ＆Ｔ、日產還龐大的跨國壟斷企業 De Beers，一面默默而精妙的控制全世界鑽石的生產供應，又同時透過各種媒體廣告大力鼓吹——尤其是愛情與鑽石的嚴重關係。不是嗎，我一些戀愛中的同事們就大有人以為，沒有鑽石就沒有愛情，更多男人好像也真以為，沒有鑽石就得不到愛情呢。

我和小馬當然就從沒過過彼此生日或聖誕節，或中式西式的情人節……等等這些商人們強力動員的節日，當然那時候的情人節，也沒像現在過得這麼認真。

現在的情人節，從年假結束就等於開始了，辦公室的氣氛不下於放假前的猜測年終獎金到底發幾個月的那般詭異，這種令人緊張窒息的氣氛到情人節前兩天到達最高峰，每見花店小妹又送一大捧花進門來，大家若無其事的表情簡直像在靜待老闆即將宣布與人事調動有關的消息。

但是結果往往有很大的出入，例如我們以為沒有男朋友的ㄅ，她桌上有四五把玫瑰和一大盒巧克力；約會不斷的ㄆ，桌上只有一把玫瑰，我們猜她那一把一定來自某廠商的老闆，而那老闆一定是情人節會叫花店送出個十幾把玫瑰花只除了他老婆……不過大體來說，每個人桌上總不冷清，但我得承認在我桌子還空著的那幾天，確實幾度必須忍著不去花店訂把花送自己，並巧妙的署名知名不具。

小馬在的話，不知會不會被迫行禮如儀的送我，或送他目前的情人，花或其他禮物？

沒有太久前，我在喝午茶的地方翻閱一本過期不久的政論雜誌，其中訪問包括小馬在內的幾名前學運分子的近況。

應該是出國已第七年的小馬，回答記者問他日後有什麼打算時，小馬說，等一兩年博士學位拿到後，必會繼續回島內參加反對運動、永遠堅守反對運動的陣營，而且不用說，自然是民進黨了。小馬這麼強調著。

念政治的小馬，竟然無法預測不過他受訪的一個月後，他以為會是永遠的反對黨就在首都執政，也不會料到當初我們一起坐在校鐘下絕食的夥伴，已經穿西裝打領帶在上下班，並且手裡握有可以做事情可以直接影響人民生活的權力了……；解嚴前就出去的小馬，對台灣的理解想必還停留在解嚴前，大概也只有那樣的台灣、

那樣的人民，才激得起他，才是他想保護想拯救的對象吧。

我覺得小馬和Ａ在這一點上都很像，在他們腦子裡，「人民」是抽象的，假人似的，但他們對這個假人充滿無限的感情，一說到那兩個字，眼睛就會異樣的水光溫柔，彷彿活生生確有這麼一個善良、受盡種種壓迫、集所有美德於一身的人，在等待他們解放救援。

為什麼說是假人呢？因為要是把「人民」落在我那些同事身上，落在現在的我的身上，我們需不需要拯救保護其次，最重要的，這麼樣好多的「人民」，是他們想保護、想拯救的才有鬼！

……這大概是為什麼他們老愛戀解嚴前的原因了，因為只有在那樣的美學氣氛下，才有他們的存在空間和必要性。

這我也才想清楚，那天對Ａ說不上來的煩躁感，儘管她問任何問題時都帶著她那一代特有的稍嫌體貼和教養的謹慎，比如她問我的政治立場時還會臉頰一紅，彷彿問的是我有沒有男朋友、和男朋友上過床沒。我說市長選舉我的選票是投給某某某，她問原因，我說因為他長得帥呀，而且常模仿他講話的×××也甚為有趣。

Ａ問，那我可也是同樣支持他所屬的政黨？

我說他的政黨如何如何老實說與其他黨一樣我難以分辨，因為你知道，他們的

話都同樣說得好聽又無趣。

A再問，我可知道我選的市長背景，例如他曾經為台灣的民主運動受過苦難坐過牢？

坐過牢？那不是一種投資風險嗎？你在他們所說的威權統治的第三世界搞反對運動，本來不是就得承擔這種風險嗎？就跟我們投資朋友開小店，我們買股票，有賺有賠，而且比起某些他們的前輩，他們在盛年就已經得到立即可見的收穫，在我看來，投資報酬堪稱合理。

我這樣回答A。

A不願意相信，繼續追問我，你們新人類都這麼想嗎？畢竟，能不能帶著一些感念他為「人民」犧牲奉獻的心情來支持他？

我覺得A好天真，拜託不是純情派的婚姻才有法律效力，兩個有錢家族基於門當戶對和利益結合在一起，難道就沒有法律效力?!要是投他一票的「人民」，個個都聰明無私、個個都基於神聖偉大的理由，這樣的社會早也用不著他來拯救或啟蒙了，拜託我這樣的理由也可以是一票，這一切，應該是他在之前就該預料到的。

但是，「人民」真的是那麼健忘嗎？A問。

不上歷史課的話，他們（我也彷彿在勾描一尊活生生的假人）、他們哪有必要

和工夫回頭看過往，如果這叫健忘的話，他們一樣健忘了國民黨曾經在台灣經濟發展上的一些成績，但你不覺得國民黨三不五時向我們人民邀這個功是很噁心的嗎？

同理。

可是這怎麼叫作「過去」呢？一切都還活著、在著，都還不是歷史……A忍耐著說。

對我而言，除非強迫我上一堂超過我經驗的歷史課，不然我還在念幼稚園時（我當場誇張的把年紀降了五六歲），你們到現在還費盡力氣在痛罵的那個老獨裁者就已經不在了，我在國中時候常常被街頭抗爭運動害得上學遲到罰站，我考進高中那一年成立一個政黨，高中三年我們的老師們少有上課不偷聽股票行情的，我到五十歲之前不嫁個有房子的老公我這輩子就不可能有自己的住房……

而你們這些人，做運動的、做生意的，或是二者兼顧的做一些帶理想使命生意的如我老闆，我簡直不知道你們在煩惱什麼。比起我們這些不跟父母住，就得流離在這個城市各棟屋頂違建的游牧民族，你們都已穩有我們得熬十年才能爬到的位子和起碼的房子車子──尤其一個在立法院平日什麼事都不做、只消過些時就上台作勢打官員、口口聲聲發誓並逼人發誓也像她這麼愛這塊土地的反對黨女立委，後來陽光法案公布，平常競選經費專靠中下勞動階級五十元一百元捐款的她，擁有十幾

古都

110

筆土地房產，難怪她要這麼愛、她會這麼愛這塊土地──

誰在替誰做事，很難講，我投他一票，是看他某次上綜藝節目被擺布跳恰恰的

拙樣子既可憐又可愛，這樣的理由拜託我覺得非常夠了。

不只這樣。我還回答了先前我覺得頗無聊，因此跳過不答的問題，比如說，到

底我如何定位自己？台灣人？中國人？台灣人也是中國人但在台灣？……

其實我如果還有重新選擇的可能的話，我比較想當日本人，或什麼事也不用做

的在倫敦待一整年，要不去溫哥華西雅圖住一個夏季，不然只好去加州嘍，像電影

《重慶森林》裡的王菲，什麼理由也不需要。

我還告訴大我十歲的 A，從來我以為電視就是長在每一家客廳牆上的東西；

從來台幣就是與美金一比二十六大陸東南亞人人都愛的強勢貨幣；從來中興百貨就

在那裡，不然「逛街」「流行」是什麼意思；從來就沒有蔣總統；從來民進黨就存

在；從來陳水扁就是台北市長──你只要看過電視晚間新聞裡那些搶著跟他握手和

擠在他身後朝鏡頭比「耶」手勢的小學生，你就知道我哪有誇張──

A 說的「健忘」，我以為是建構鞏固新的記憶所不可或缺的重要元素呢。

CUBAN CAPITOL，重二三‧〇四克拉，我覺得最美的一顆圓形切割的金黃

鑽，採自非洲礦場，不過它並不是鑲嵌在任何珠寶首飾上，而是被嵌在古巴首都哈

瓦那的一處人行道上，以作為軍用道路指標的用途。

鑽石與革命。

鑽石與卡斯楚。

不用說，還有鑽石與俄羅斯——不過我說的可不是那顆目前收藏於俄羅斯鑽石庫中一三‧三五克拉的 PAUL I，這顆鑲嵌在印度皇冠中央的紫紅色鑽石，曾被俄國皇室所擁有，為了紀念保羅一世，故名之——

俄羅斯計劃明年開始在一個長兩百公尺的風洞中製造合成工業鑽石，這個風洞原為了測試火箭與彈道飛彈在重返地球大氣層時的反應而造的。機器製造中央科學研究所的彈道技術主任帕維爾‧科亞可夫對路透社記者說：我們的目標是使這個設備更有經濟效益。

更有經濟效益？科亞可夫和他的研究人員將不鏽鋼片擲入風洞管中，讓鋼片以十倍於光速的速度撞擊一塊生鐵，這個撞擊會造成生鐵中碳的石墨碎片轉變成鑽石粉來。

於是乎，一個三十公斤的生鐵塊可生成二百五十公克的鑽石粉，科亞可夫說，最大的預計可達兩千克拉，是現今最大鑽石「非洲之星」的差不多四倍。研究所打算每年作業四十次，每次生產一萬五千克石粉，他們正在更新設備，以生產較大的鑽石，最大的預計可達兩千克拉，是現今最大鑽

拉，預計一年可產六十萬克拉的鑽石。

俄羅斯與六十萬克拉鑽石。

我緊張什麼！

不改其志。

就在此時，我等公車的那家現代博物館被帷幕遮蔽、裝潢施工好久的一樓精品專櫃開幕了，謎底揭曉，是第凡內珠寶公司。

對此，我真是錯愕不已，沒想到好一陣子以來每天唯一的心靈放逐時間所默默面對告解的對象是它，這簡直使我有如拜金牛犢的異教徒一般。

但是這種荒謬之感很快就被它所散發出來的吸引力給取代。冷雨、交通號誌快故障光了的黃昏，我面對它的時間隨著等車時間更加漫長。

原來它販賣的不只是珠寶首飾（這都是我在人行道上透過落地玻璃牆日復一日看到的），它有銀製的文具餐器、有繪著精緻花卉的陶瓷器、有手錶、絲巾……等等商品美學製造出來的假性需求，的確我在面對帷幕揭起前並一無所缺，現在，每一樣東西都因為我的想要而感到缺乏。

我像賣火柴的小女孩在嚴酷的雪夜裡踮著赤足看窗內的人家在歡度豐盛溫暖的聖誕節。

我決定要買一顆第凡內的鑽石戒指，在情人節那一天，儘管我的辦公桌上明顯缺乏的是一把玫瑰花和一盒巧克力。

為什麼要在情人節呢？

我早已經不打算接受同事們的遊戲規則，好比不經意的問你：「你要在哪一家吃情人餐？」想當然耳「你有情人，所以一定會去吃情人餐」的語法，只為了表示所以當然她也一定有情人餐和——最重要的，情人。

所以我當然不是為了情人節次日好戴在手上向同事們做無言但絕對清楚明白的炫耀。

……

——勞動創造了美，但是使工人變成畸形；

勞動用機器代替了手工勞動，但使一部分工人回到野蠻的勞動，並使另一部分工人變成機器；

勞動生產了智慧，但是給工人生產了愚鈍和癡呆；

勞動創造了宮殿，但是給工人創造了貧民窟；——

我回到《手稿》所說，因為我的勞動所創造出的貧民窟，它雖位於冷風長驅來去的公寓頂樓，卻冷濕昏茫猶如地下室，因此跟隨我流浪的馬與劍、咖啡機與床頭

ＣＤ都生鏽陣亡不能挽救；我的一條心愛的 Wedgwood 大手帕，與同品牌的紅茶杯一樣有著野莓蔓藤的圖樣，但其洋溢的春天野地的氣氛也無法遮擋掩蓋住其下兩大箱因為害怕搬家而不再打開的書，這是我喝東西和寫信寫日記的桌子；一床海軍藍ELLE 毛巾被罩著房東不准我丟的簡陋木床，床底滿溢出待洗的衣物所散發出來的異味彷彿小馬還和我住一起的時候。

——野人在自己的洞穴中（這個自由地給他們提供享受和庇護的自然要素），並不感到更陌生，反而感到如魚得水般的自在；窮人的地下室住所卻是「具有異己力量的住所，只有當他把自己的血汗獻給它時才得居住」，他不能把這個住所看成自己的故居，相反的，他是住在別人的家裡，住在一個每天都在暗中監視著他，只要他不繳房租就立即將他拋向街頭的陌生人的家裡——

《手稿》一百五十一年前這麼描述過我的地下室。

我把所有能發亮的燈都打開，歪在泛潮的印度棉毯上看快到月底我都還沒打開的雜誌，我訂了包括國外在內的四份綜合專業不一的雜誌，算是一筆開銷，儘管我在公司或附近的茶藝館、或站在書店就都可看到，但擁有它們，不知為什麼要比擁有一支美麗顏色的香奈兒唇膏、比定期做有氧游溫水要讓我有安全感得多了——但可以預見的是，早晚我會在其中讀到 A 侃侃而談她所觀察到的新人類，如

聞其聲如歷其境的生動描述諸如新人類沒什麼歷史包袱、好傳統壞傳統都全丟個乾淨，因此也沒什麼理想價值信念可言；新人類政治立場虛無得很，沒興趣細究政客與政治人物的差別，視從事民主運動如商業行為，盈虧自負，只有成敗輸贏，不需賦予光環或鄙薄……

新人類視媒體資訊如神，神決定了一切的意義和價值，任何不存在於媒體資訊中的事物就等於不存在，因此連帶視知識學問當然也可用後即棄（十五分鐘的英雄）……

新人類甚至失去了使用感情的能力——無論付出或索取——，只因他們確實未經歷真正的貧窮和戰亂離別，感情無瑕如他們自娘胎出來時一樣，不多也不少，所以他們只好用高分貝的音量和近乎聾啞人的誇大動作，來表達自己可能並不確定、甚至不存在的感情和意見……

新人類是男的像女的，女的像男的，性別中性化……（因為訪問Ａ的那天，我才新剪個林強式的短髮，單耳穿一只Ｋ金耳環，直筒卡其褲、短軍靴）。

新人類的女生在性方面要主動得多，也無傳統性別差異所帶來的傳統負擔……（如果那天我告訴Ａ的是，我有時會在ＭＴＶ包廂裡與當時的男伴解決彼此需要並順便藉以切磋床上技藝），——或相反，新人類視感情愛欲為負擔，怕吃苦，寧願

過無性的生活……（一如我那天告訴她的）。

我告訴Ａ——一意識到她可能期待得到的答案（如我有時或常常在ＭＴＶ包廂和男伴怎樣怎樣的）——我給了Ａ一個不一樣的答案。我告訴她，保持無性生活無非潔癖罷了，因為你怎麼知道平常看起來整潔宜人的男人可能有口臭，你知道，那是非常有可能的，這年頭只要在做事的人，誰沒有胃病、牙病、肝病或失眠什麼的，最重要的，你怎麼能毫不考慮的相信對方可能如羅曼史小說裡那樣不擇地皆可出的神勇動人，並且還隨時一身整潔性感的內衣褲？萬一他臨場不行，或能力平平，弄得我徒然骨盆充血或一身濕髒，拜託我又不是他老婆，我才沒半點道義情感願意忍耐同情包容撫慰他耶……

新人類而且習於接受影像圖畫、遠離文字……（如果那天我告訴Ａ，我常看《城市獵人》《蠟筆小新》，並從其中得到頗多創意點子）。

新人類成長於台灣經濟起飛後，不知儲蓄節儉為何物，物質傾向很嚴重，消費、透支（刷卡）力驚人，我建議她還可以佐以美國蓋洛普調查機構的研究報告：這批新人類的消費力每年高達一千二百五十億美元……（如果，如果我訪談她的當時，手上戴著一只和她手上一模一樣的第凡內鑽戒）。

我開始為購買一顆鑽石做準備。

鑽石的顏色，由微黃、褐色到罕有的粉紅、海藍、綠及其他繽紛的彩鑽，惟最佳的鑽石是不含任何顏色的，完全無色的鑽石能像三稜鏡似的讓光線穿透而化成一道彩虹。——把完全無色的鑽石送給女人，就如同把一顆純潔的心交給她——De Beers 公司這麼說。

淨度，大部分的鑽石都含有非常細小的內含物，內含物數目愈少及體積愈細微，不會影響光線通過，鑽石也就愈美麗。鑽石是所有寶石中最晶瑩通透的，完全無內含物及表面瑕疵的鑽石非常罕見，價值因此不菲。選購女人、不，鑽石，愈無瑕，就愈罕貴美麗。De Beers 公司如是說。

克拉，眾所周知鑽石的計量單位，也是衡量並決定鑽石品質和價值的四 C 標準中最容易判斷的特點。良質鑽石通常有不同大小、不同形狀可供選擇，相信她絕對不會介意優質美鑽為她帶來的額外重量。De Beers 又說。（還真會說！）

車工，根據原石本質，鑽石被切割成不同的形狀，如圓形、欖尖形、梨形、橢圓形、長方形、心形。鑽石是目前我們所知最堅硬的物質，且它對光線有獨特的處理能力，鑽石能把光線在其內部反射折射，並能將光線析分為光譜色（色散），從而產生燦爛奪目的光澤和火彩，當然這一項重任有賴於鑽石切磨師。De Beers 如此堅稱。

堅硬如鑽石，曾被認為是不可切磨的，直到印度的寶石工匠發現，鑽石，是可以用另一顆鑽石琢磨以除去表層，使鑽石生輝。

其後至十五世紀，比利時的切磨師 Van Berquem 發現用沾有鑽石粉的鐵圓盤，可以磨出鑽石的瓣面。

十七世紀末，威尼斯人 Peruzzi 發明了五十八個瓣面的切磨法，到現在仍舊是各式切磨法的基礎。

一八七九年十月二十一日，愛迪生製成一盞使用碳化燈絲的燈（拜託這和鑽石又有什麼關係！），擁有鑽石的貴族富商於是發現，鑽石飾物不僅可以在白日佩戴，在晚間社交的室內燈光下更可見其光燦，鑽石益加大興。

二十世紀初，Marcel Tolkowsky 用數學方法計算出圓形明亮式（round brilliant）鑽石切磨的最適宜角度和比率……，也就是 A 手上的那一種鑽石，我打算擁有的。

錢準備好了——為了避免像那笑話裡挑一擔鈔票進城，買「小姐手錶一斤多少錢？」的鄉下人，我還特去辦了信用卡——，情人節也還沒到，日日我返回我那窮人的地下室之前，總得在那富人的宮殿窗外盤桓良久，很快地，我從欣賞它的櫥窗擺設、咋舌一只中規中矩的手錶要價十萬以上，到不可自禁的陷入這種種細節……

它的門，是有防彈功能嗎？顯得好重，再瀟灑自在的男人、再喬張作致的女

人，都得推一次──不動，懷疑是不是電動門，重新站定了，等著被掃射一次，門仍不開，只好提口大氣用力推，髮亂、臉紅、一開始就有些狼狽。

因此，我揣摩著，如何可以臉不紅氣不喘的一舉推動那扇真的好重的玻璃門，神色輕鬆的如同進入的只是一家尋常的便利超商。

而且店家不止這扇門，另一扇不知為何始終上鎖，我可別在緊張之下走錯門，我就看過好多不得其門而入的優雅顧客，在透明上鎖的門的那一面摸索、拍打、無助……，活生生上演一齣馬歇‧馬叟的默劇。

此外，我要的單粒鑽戒所陳設的櫃台在呈兩個ㄇ字形擺法的最左槓上，距離那扇重門大約、大約男人六七步左右，女人穿高跟鞋約十一步，以我的步伐，九至十步可抵。地上且鋪著綿密隱晦圖案的東方風地毯，不致有過滑而摔跤之虞，所以妹妹你就大膽的往前走，往前走，莫回頭……

店員呢？好像不該稱他們為店員，有禮而沉著的男店員彷彿訓練有素的英國男管家；女的呢，比較像銀行女主管或空服員，個個皆控制得宜的表情，保證不會為「小姐，啊鑽石一斤多少錢？」或「顏色？我要Ａ級的。」而動容失笑。

的確沒有人用現金交易。

碎鑽飾物是沒有鑑定書的，單粒鑽才有。

⋯⋯

宮殿外，我留心著購買行為中所可能發生的任何細節，與其說在學習宮廷的種種虛憍繁瑣但必要（為什麼？）的禮儀，其實比較像在進行一項祕密周詳的打劫計劃。

不是嗎，我甚至從來不曾有的在臨睡前保養雙手，以厚厚營養的綿羊霜努力按摩兩手，並非為了或可漫漶指紋，實在只希望屆時試戴戒指時，不致讓它們照眼即被認出是一雙女奴的手。

我還準備妥了那日的穿著，上好質料但透著隨意輕鬆，並由於前述觀察過地形的關係（鋪著地毯），我可以放心的穿我那雙高跟亮漆皮的瑪莉珍絆帶鞋，而不用分神擔心跌跤（逃跑時？），我且去真品平行輸入店買了 Armani 新推出的香水。

（掩蓋我的逃逸蹤跡，就像草食動物摩挲一身屍臭藉以逃避肉食動物的追緝？）

萬事齊備，只差那一只七折即將可望降成五折的 D&G 麂皮背包，青苔一樣的顏色和青苔一樣的觸感，各家時尚雜誌上不停告訴你這一季不可或缺正 in 的配件，其實遠看頗似軍用帆布包，但直覺背上它會使我有如年輕戰士一樣顯得精神抖擻，至於其中要放什麼東西，水壺？手榴彈？行軍地圖？⋯⋯嘿真的不重要。

一切應該萬無一失。

——結果，人（工人，依《手稿》原意）只有在運用自己的動物機能，吃、

喝、性，至多還有居住、修飾等的時候，才覺得自己是自由的，而在運用人的機能時，卻覺得自己不過是動物——

反悔，還來得及。

小馬……

但是店裡一對夫妻模樣的顧客吸引了我的注意。

兩人皆因彎著身子在細看我那鑽戒櫃台裡的東西而不時吸著鼻子，他們穿著打扮非常普通，像是臨時起意來的，男的還拿著一把黑傘，沒套上塑膠傘套，雨水把地毯滴濕了一個小圓塊。但他們看得極為專注，大概在設法把每一只的價錢給牢牢背下來，總之所花的時間遠遠超過我看過的平均消費時間。

終於，他們直起身來，並示意男管家或女空服員前來服務。等待的片刻，女的望望男的，男的正大力的吸著鼻子，女的伸手替他拂一拂肩上的大約是頭皮屑，空服員來了，為他們拿出一只一只的試戴。每戴上一只，兩人都非常謹慎仔細的向空

打劫前一日，公司裡的每一張辦公桌上花海似的，連我也有一把香檳玫瑰，是印刷廠的小金送的，一視同仁每人都有，就像中秋節送月餅一樣。

等車時，我循例在宮殿外靜靜佇立，未因第二天的即將付諸行動而有若何異樣感覺。

服員詢問不知些什麼，彷彿即將購買的是幢打算住三四十年的房子。

他們大概是剛吵完一大架才來的吧……我的直覺。

當然也非常有可能像那個聖誕節窮夫妻的故事：女的為了替丈夫買懷錶鍊當聖誕禮物而剪了一頭長髮去賣錢，丈夫為了給心愛的妻子一個美麗的髮飾做禮物而把懷錶賣了……

我絕對不要讓自己落到那樣的處境，農奴的處境，哪怕有愛情。

這麼說好了，我勞動所換來的工資中有近三分之一繳給了房東，儘管《手稿》說過，房東從窮人身上取得巨額利潤，然而我大部分的房東們都以此租金貼補他們所必須繳交的房屋貸款，而那房子最終大致不脫三至五個財團賣給他們的。

──工人的粗陋的需要，與富人的考究的需要相比，是一個大得多的收入來源，倫敦的地下室給房產主帶來的收入比宮殿帶來的更多──

地下室對房產主來說，是更大的財富。

捨此不提，至於我所剩餘三分之二的工資，總該可以自由運用吧。

但可以確定的是，我每次的餐飲花費中的三分之一，是間接繳給了房產主，即使不考慮國民所得，想想看我們一杯咖啡和漢堡可樂的價錢，想想我們一餐五星級旅館的標準法國菜與其他國家的花費比較（拜託別只舉日本為例）。

我買的衣服，更多是繳給了百貨公司服飾專櫃的店租，和成衣商工廠廠房的租金。

我付的計程車車費裡，也有相當一個比例是在替司機先生繳房租；我一文錢逃不掉的稅金所鋪成的高速公路，讓不必繳土地交易所得稅的房產地主開著賓士、BMW飛馳其上。

我訂的雜誌週刊少說有兩成以上在替雜誌社付辦公室和庫房的租金，以及印刷廠製版廠的廠房租金，以及雜誌社員工們工資中的房租房貸——就像我。

此外，就算我們不肯花用而存入金融機構的儲蓄，也被他們輕鬆超貸走，繼續以一賺萬的大肆炒作我們終生注定買不起的土地房子，迫使我等及子孫只得至死辛勤耕作才繳得起租金予他們。

我們已經變成了世襲的農奴階級而不自知。

然而我們還以為我們是自由人，儘管命運比終生無法離開土地的舊俄農奴好不到哪裡去！

因為，舊俄的農奴還有一個可以清楚痛惡（或戀慕）的地主做對象，而我們所賣命的對象，終其一生也不知道也不得見，儘管觸目所及到處都是他們的城堡和領地。

——土地所有者也像所有其他人一樣，喜歡在他們未曾播種的地方得到收穫，

甚至對土地的自然成果也索取地租。（斯密，第一卷第九十九頁）——

——土地所有者的權利來自於掠奪。（薩伊，第一卷第一三六頁註）——

——他們從淪落的無產者的惡習中也抽取利息，如賣淫者、酗酒者、抵押放債

者（以及買鑽石者？）——

大概正因為我們以為自己是自由的，日子，才過得下去吧。

我不知道一輩子打算待在反對運動陣營的小馬為什麼不再談階級問題。

我不知道要如何才能免於那樣的處境、農奴的處境，使我重獲自由。

是夜，我推門進入第凡內，門不輕不重恰如我長期所觀測揣摩的，我且走了不

多不少整整九步到櫥櫃前——總之整個過程皆在我預先掌握之中，前後費時十七分

鐘略超過估計，只因為情人節晚上的顧客大約是平日的四倍。

我的俐落迅捷的打劫行動驚動了身畔一名年紀打扮都很像Ａ的女人，她原先正

彎著身子專注打量櫃裡的鑽戒，未吸鼻子，只故作不經意的掃了我一眼，眼裡清楚

明白只有一句感嘆：「新人類！難怪！」

未鬧笑話，也未觸動警鈴，我帶著我的南方之星離開寧靜宮殿一樣的第凡內，

擠公車回我的地下室。

我將地下室所有能亮的燈全都打開，褪開包紮的白絲帶，掀開知更鳥蛋藍的紙

盒，普魯士藍的絲盒打開，它，在那裡了。

它的身分證如此描述它，它是明亮圓形切割，重有三十九分，勻稱度是 good，淨度是 VVS1 含極小瑕疵，顏色是 H 級接近無色，此外，還煞有介事的一串數字介紹它的切磨比例，彷彿女子的身高體重三圍尺寸……總之，它想盡辦法告訴你，它之於這世上其他所有的鑽石是如何的獨一無二……資本主義商品美學的偽個體化。

霍克海默。阿多諾。

——斯密的二十張彩票——

——薩伊的純收入和總收入——

如何費解的謎語和密碼啊……

然而我的南方之星，確實為我的地下室帶來了難以形容的光燦。我以右手拈起它，並以情人的款款深情之姿緩緩套在左手的無名指上，心中漲滿了寧靜的快樂，彷彿、彷彿那個偶然在南非橘河河畔玩耍並拾獲了 EUREKA 的小男孩。

EUREKA，原重二一‧二五克拉，雀黃色，它的發現，吸引並開啟了無數爭相前往南非開採鑽石的人潮。

一九九五年七月

匈

牙

利

之

水

不多不少適度的記憶，只消提供何者於我們的生存有利何者不利，就夠用了。於是我們的嗅覺細胞只剩現今那麼多……最好，只留下有用的記憶，不然會很危險的。

這是一個兩杯老酒下肚、與我差不多年紀、樣貌、職業的中年男子告訴我的事情。

自然，循例必須交代一下時間和場合。

我們第一次見面是在我們共同的朋友——我的大學同學、他的高中同學暨同鄉——所邀請的聚會上。聚會在一家大型違建街上的小型啤酒屋，受邀者陸陸續續的來和離去，但大約始終保持十來個。當晚的主客是我們共同好友的好友，據說十數年來沒回過台灣，此次返國大約也不是趕現在愛台灣之類的流行，因為聽說他要把公司或他要被公司移往調往大陸什麼的。

就在那時候——該發酒瘋的正high、不肯喝的正百無聊賴偷偷看錶如我——，我並不認識的他，接下去就叫他A吧，A酒鬼似的抓著個空酒杯，晃蕩著向我走來，笑咪咪的先為自己的魯莽抱歉一聲，隨後真正非常魯莽的問我：「你怎麼會有這種味道？」

待我明白了他所說的味道真的就是字面上的那個意思，我假意禮貌的嗅嗅自己涼爽羊毛西裝的兩袖，然後雙手一攤，表示疑難嗅出。

A放下酒杯，熱心的協助我，抬起我的手肘湊近我的臉孔，敦促我再聞，滿臉的期待。

我只好再嗅，不慎嗅到剛剛沾到的燒酒蜆仔的蒜汁腥臭、濕紙巾努力抹過的廉價、比××花露水還廉價的、簡直不該說它是香味的味兒，還有……

他看出了我的「還有」，快樂的說出答案：「香茅油！我有三十年沒聞過了……」A深深吸著氣。

想起來了，梅雨季開始沒多久，妻苦惱的發現又疑似有大白蟻的蹤跡，放棄了連用了好幾年的樟腦油加酒精，不曉得哪裡弄了一瓶其上只寫了香茅油三個大字的維大力黃的液體，擦遍衣櫃內外，其味道足以薰斃包括人蟻在內的所有生物。當然，我的衣物，尤其吸味良好的毛質西裝都在其中，不過，那是梅雨季的事，其後西裝少說也送洗過三四次以上了吧。

A不顧我的證實和誇讚他的好鼻子，只管自顧自的說——那時候，整條街上、事實上整個鎮也就只有那麼一條街，整條街上日日夜夜都是香茅油的味道，我到大了才知道是熬了外銷到日本去的，我大舅媽牽著我的手，先去辦什麼事忘了，然後去最大的一家百貨店，我現在想大概不超過十坪大吧，去給我選衣服，選好久，和店老闆娘交談用的是日本話。我之所以耐得住性子，是因為一會兒還會去買那時候我想得要命的玩具，可能是一把塑膠槍或關刀吧，……我已經三十年沒有想起我大舅媽，根本忘了有這人，因為那不久他們就離婚了，可是有一段時間我是和她一起

過的，她跟我一起睡，替我洗澡，媽媽一樣的洗拭逗弄我的小雞雞，我爸媽哪去了……我想她這樣日夜黏我是因為怕我睡得死死的，我大舅在外地工作，週末才回來，回來前，她一定陪我睡得死死的，起碼我是睡得死死的，也有一次被很可怕的吵聲給驚醒，我大舅正在又踹又踩我大舅媽，榻榻米上他看起太高太大了，我舅媽好像在哭，唯一的反抗聲好像就是制止大舅踩到我或別驚醒我……現在想，到底是單純的夫妻打架吵架，還是狂暴的性行為呢？……他們始終沒有孩子，把我當成是自己的孩子是不用說的，她常用日語叫我「寶將」（少爺），和我說話時會壓低著身子，或蹲下來，一面對話一面替我整整衣服，就像我們在日本電影看到的那種妻子對待一家之主的樣子……，我真的有三十年沒再想起她了，雖然她好像一直就住在鎮外不遠的娘家，可是你知道那時代離了婚的雙方就跟仇家一樣，我外婆甚至不准任何人提到跟那個女人有任何關聯的事，我舅媽身上有一種好聞的粉香，不是香茅油，可是現在和香茅油一起想起來了，她身材很苗條，不過也許是綑綑紮紮出來的，我看過她穿內衣，和現在那種調整型內衣差不多，勒得很辛苦，胃壓得平平的，奶奶就顯得尖尖的，她可能很愛美，常常拿日文書刊去街上剪布要裁縫照著做，可是做來做去好像都一個樣，跟我太太去年開始買的很像，就是那種賈桂琳、剛死掉的那個、歐納西斯、甘迺迪的那個賈桂琳穿的樣子，她們那時候的流行很奇

怪，我現在全給想起來了，她們外出時都愛拎一個小藤籃，上了粉嫩顏色的亮漆，例如我舅媽就有一個奶油色的，好像扣鎖被我玩壞了，就乾脆讓我拿去玩，裝彈珠或裝小蟲子折磨時當監牢用，不過也有幾次是當那種還沒長毛的黃嘴麻雀的育嬰室

......

我忍耐著聽，拜託千萬他酒醒後就忘了有我這個人，我一點都沒意思要在這樣的基礎上發展哪怕只是哈啦打屁的友誼。

當晚，洗完澡出來，見妻正微皺著眉在邊掛我的西裝邊嗅，她通常都用嗅來決定衣服該不該洗，那真使我窘迫極了，不只一次我阻止她嗅我當日換下的貼身內衣甚至襪子，表示那不花腦筋（鼻子）誰都知道該洗，為什麼還要去聞它？

妻不止一次回答我，「我只是要證明一下它確實值得一洗。」心情好的時候她就這麼答。

為了阻止她抱怨我袖口腥臭的蒜汁，我問她我們那香茅油哪兒來的，她說是朋友從鄉下娘家帶來的，可以防蚊，很怕小孩得登革熱或日本腦炎，於是她想同理應該也可以防白蟻，就討了一瓶來，問我怎麼樣，我說那味兒很奇怪不覺得嗎，妻看我一眼，「不早說！」

不多久後，我又遇到了Ａ，在一家、該怎麼說，台北現在有很多這樣的地方，

原意只是一道吧台幾張小桌、專業賣咖啡的，後來愈來愈多像我這種下了班為躲過交通擁擠只好在這裡打發時間的人口，順帶賣起調理餐包、一些輕食，又研發出一些奇奇怪怪名字和口味的三明治我都不敢試，更後來，乾脆也賣起幾品調酒。

A和我，就正隔著幾張桌子各看各的晚報，我們曾在同時翻摺報紙邊打呵欠時互掃過一眼，冷冷的，我暗自慶幸果真酒醒他不記得我了。你難道不是嗎，年過四十以後，我完全不願、似乎也無力聆聽別人的心事，這個別人包括妻子，和我自己。

很多時候，我試圖說服自己，這個世界不過是許多地獄中的一個。

BB叩響，是妻，在娘家，她也常以包括逛街購物或陪老爸老媽一起看連續劇等等方式來打發過交通擁擠時間，而後再叩我去哪裡哪裡接她，好開車一道回我們尖峰時間得兩小時才能回到的市郊的家。

我以飲酒之姿仰頭喝盡了殘冷的咖啡，起身去吧台對正在做果汁的妹妹、要她在我的咖啡卡上塗銷一格。

「香茅油！」

我竟聞聲回身，什麼跟什麼，這難道是我的名字嗎？

當然是A，笑咪咪的，大異於數分鐘前我們曾經的冷冷互掃一眼。

A堅持留我再坐一會兒。我無法拒絕，可能以為自己是他那個幫他洗澡陪他睡覺的大舅媽。

A點了兩杯長島冰茶，我阻止他，說我是不飲的。他也不取消，未有時間阻隔的繼續那晚的話題——我後來要打電話找她，我大舅媽，她去年退休的，一直沒變是她以前教的小學，我有一次硬要跟她去教書，坐在教室裡，教室可能是日據時代蓋的，破損的牆壁露出黃泥混著稻草梗，怪哉倒也硬得很，得用指甲用力摳，才摳得掉一點灰泥，那時候是夏天，教室前面落了一地的緬梔花，你一定看過，枝椏很粗很稀，就是那種黃心白瓣有人叫雞蛋花的，花味很淡，但只要誰給我一朵聞聞，我一定能腦筋不花的叫出起碼當時她班上的十個學生，要是再給我隨便哪個學生腿上的膿疤味和紫藥水味，我可以把班上的男生模樣全都想起來——

長島冰茶來了，他拿起一杯來，也不喝，嗅了又嗅，「4711，××」，對我而言，他喃喃說了一個數字、一個可能是人名的兩個密碼。

A短暫的出神了一陣，直到我相信有一陣氣流穿過我們（可能又是我身上散發的香茅油味兒），他重新回復一臉較之剛剛要顯得熟悉多的表情繼續說——結果她的家人，也是我小時候跟她回娘家時喊過的親戚說，她不久前死了，跟我外婆差沒幾天，我想，搞不好她們暗中一直在較勁，拚誰比較晚死，像慈禧和光緒那樣，像

蔣介石和毛澤東，結果一樣兩個人不知什麼時候已經結成生命共同體，一個沒了，

另一個的生存意志也頓時喪失，我想我舅媽一定很怨怪我外婆，覺得她的婚姻完全

是被她破壞掉的，你知道她，我舅媽，是個很矜持的女人，矜持到無能捍衛她和她

的婚姻，就算我外婆真的有意無意在侵擾她。我記得她很愛生悶氣，常常吃飯時間

還在樓上，不開燈，不知在哭還是在生悶氣，反正就是不肯下來吃飯，

我外婆就會差我捧個托盤上去送飯給她，常常有乾煎的赤鯮，有一次我在樓梯間突

然發起賤，摳了一顆魚眼珠吃，好腥喔——

你要以為他說的只是有關兩個死去的老太婆和一顆好腥的赤鯮魚眼珠的事情，

你可也就錯了，不過我也差不多就在那時與你此刻的反應相似，我清楚強烈的看著

手錶，表示時間真的到了（天啊我寧可在岳父母家一起看《東京愛情故事》）。

他放我走前，卑微的懇求我，能否在下次的自然見面時（他說他的公司離此不

遠），能否不情之請的給他有關香茅油——，我趕快打斷他，保證盡快弄到一大瓶

香茅油，快遞到他的公司或家（總之頂好不需再見面）。

A聞言非常不好意思，但仍一鼓餘勇要求，能不能給他一件我衣櫃裡隨便什麼

不要的東西，比方說舊手帕或鬆掉襪口可丟的襪子——我拜託他可別說到什麼太小

的內衣褲——他急急解釋，不只是香茅油，還有一些複雜的粉香味，加起來是那時

候舅媽的味道，「我很想保存。」

除了妻子，多年來我已沒聽過泛著水光的大人的聲音。

我答應了Ａ。

我在衣櫃裡找到了一件某廠商慶祝地球日所送的環保Ｔ恤，我還擔心因為塑膠袋未拆封的關係會使得味道有損，便要他鑑定。Ａ接過去嗅了嗅，笑看我，「謝謝了，配得正正好。」

配得正正好，彷彿我是香水師，或該說，妻是香水師。妻喜歡在衣櫃的每一個抽屜裡放上即將用罄只剩幾滴的各種香水瓶子，亂中有序作法似的，我始終不以為意，因為並不知道那會使我帶有氣味，即使有，也早該被公司那些女孩們所散發的不同品牌不同調的香水味給濃濃蓋住了，天啊它們造成的空氣污染往往比菸味兒更甚。

像是為了答謝我，他說了一件比兩個老太婆和一顆腥魚眼珠要有趣得多的事。

——嚴格說起來，這場災難大概起自於一九九〇年——

九〇年？民國七十九年？先讓我想想該年可有什麼大事⋯⋯年初，元首跌破全國人眼鏡的挑了一個沒有聲音的人做副總統⋯⋯國大恐怖的山中傳奇⋯⋯愚蠢難看的政爭⋯⋯年中，元首又在全國皆曰不可的情形下擅以軍頭為行政首長⋯⋯

Ａ的災難，不知起自前列者為何？畢竟依他的省籍，肯定那批陸續被鬥垮的張帳房李院長王軍頭都不是他老子或祖上。

——一九九〇年，關稅貨物稅大降，台幣暴升，香水大量進口，再不是什麼奢侈品了——

噢，我恍然大悟，所以Ａ的老婆大概和我妻一樣，一定不免花了一些在我們看來實在不怎麼理性的錢購買香水……不過，這如何都不足以稱之為災難吧。

——你知道有所謂的十年一度這個說法嗎？

我老實的搖頭，願聞其詳。

——我忘了這是不是日本人的說法，就是指那種很了不起、令人深刻難忘的性愛經驗，因緣際會十年才可能有一次的，不管我們這輩子做過多少次，從十幾歲開始，能者天天、不行的或缺伴侶的一生也有個百來次……總之就是在你臨終之際，你還能清楚強烈記得的，一生不會有幾次的——

……是的，一生不會有幾次的。

其實一切是那麼樣的重複，若勉強把每次都做下紀錄，可能不出三百字就辭窮，或重複抄襲上一次、上上次的字句……上上次是什麼時辰？清晨？臨睡？燈下？或煙藍灰的晨曦裡？……哪張ＣＤ樂聲裡？她穿哪件睡衣？怎麼開始的？有沒

有異於平常的任何細節？……

不過才上上次，就已經記不清了。

當然，這可能是規律忠貞的婚姻生活之必然。

我等待著眼前這名才見過三次面的男人告訴我他的十年一度。

——關鍵不在十年一度的難遇難求……

他有些不知該從何說起的樣子，我不禁猜想會不會是我身上的香茅油加粉味兒正干擾著他。

——嗯，我老婆……

自然我有點吃驚，他十年一度的對象是他妻子。

——嗯，我那老婆……

顯然他那老婆較之我這名大舅媽，要難以描述得多。

——我老婆，很瘋狂的，我們有兩個小孩，都還念小學，她都不怕吵醒他們，不過這不是重點，你知道嗎，只要一有什麼新品牌的香水進來，來台灣，她一定第一個去買，然後真的是「穿」香水，全身上下抹得濃濃的，整個人都在煙霧裡我簡直無從分辨她。那樣的夜晚，我的天，她簡直拿出她學生時代期末考的精力工夫，做得之認真之執著，有點像那種狐啊妖啊什麼的，必須在天亮之前把你的魂魄精氣

給吸個光光……所以那些香水史，大概可以說就是我的十年一度史，好比隨便說你身上有（他笑起來），可能是內衣部分有 KENZO 的味道，水果味已經沒了，還有一點點木頭香，和東方香料的辛辣味──

A 以手勢阻止我的其實也不知想辯駁什麼，滔滔不絕的繼續，──那次在浴室裡，我把她頭髮給弄濕了，原先的一些淡妝也給我洗掉了，好像談戀愛時有次在郊外遇到雷雨時一樣。她還沒四十，洗乾淨的皮膚凝著水珠，她自己都知道，浴室到處不是都硬硬的，我們連做了兩次，折騰得一把骨頭第二天起不了床──

這倒提醒我想起類似的某一次……我微笑著，臉肯定有些紅，忍不住解嘲：這怎麼能算是災難呢！

──你還記得 Red Door 那支香水嗎？進台灣時號稱花了幾千萬台幣的廣告宣傳費，你一定看過它的平面廣告，我老婆緊張得不得了，上市第一天就趕快買了來，還是照樣全身上下抹得濃濃的，其實她對那種乙醛調的香水會過敏，直接碰到皮膚會起疹子，又紅又癢──

當然他接著又簡單描述了一番較之前尤有過之的性愛場面，其微妙、其靈動令我快無法卒聽，我再次打斷他，不明白這又算哪門子的災難。

──你知道 Red Door 的廣告詞和設定訴求的對象嗎？

古都

138

我當然一無印象。

——Red Door 的訴求對象是從二十五到三十五歲、大膽、充滿自信、個性化的現代辦公室女郎——

所以⋯⋯

——所以我老婆害怕我們公司裡的那些女孩們萬一都聽信了廣告人人都買一瓶

Red Door 不就完了！

人人一瓶那又怎麼樣？

——重點你不懂嗎？她先用了，日後即使我們辦公室每一個自認是大膽自信現代的呆瓜都用，我聞了會想起的還是我老婆，甚至這想念還必定伴隨新香水必有的十年一度，你知道嗎，那常常讓我窘迫透了，你知道，並不是每一次的人事地都那麼適合的，好比有一次跟廠商午餐談生意，他的特別助理竟然用的是我老婆蜜月期常用的那一種，而且好像是絕版香水，她大學畢業時在國外念書的二哥寄給她的禮物。十幾年來再沒聞過，我簡直心亂如麻，險些愛上那特別助理，整個下午發情的公狗一樣好想找我老婆上床，你難道從來沒有過像這樣的經驗？

我勉強想起來，一名短暫在公司待過半年就出國念書的女孩，我連她名字都記不得，當時對她也並無特殊之感，她好像就穩定的用一種淡雅微甜的香水，天天

不斷，在那種香水還不普遍且昂貴的時代，我還猜想她可能有嚴重的體味才必須如此。

好幾年後，一次與妻一道出門參加親戚的婚宴，忽然同樣的香味讓我想起那女孩，她濃密及肩的髮因低頭專心做事而掩住整張臉只露出鼻尖下巴、一兩次被我看到隱隱的乳溝……她不甘心被男同事的無聊笑話逗笑、邊笑邊怨「好無聊！」的神情……

——你看看，這就是我老婆最怕會發生的事：聞她身上的香卻擋不住的想別的女人。所以她要率先用遍所有香水，日後不管我在哪個女人身上聞到香水，都只能立即想到她，而且這百分之百是人力不能控制的，就算哪次我想偷偷冒險出軌，除非那女孩沒有任何的香水脂粉味（這不大可能），或用的是我老婆從沒用過的香水（這更不可能），不然你想想，那簡直就等於我老婆如影隨形無時無刻不在我身邊嘛，比方說，不是花×花酒廊的妹妹們全都用她們老闆從巴黎直接大量進口的香奈兒五號嗎，後來雖然總公司知道了還下過指令以後不接台灣的這類大宗訂單，免得香水身價因此大跌，你看，當我面前坐個台北身價一等一的年輕貌美的妹妹，而腦子裡全是我老婆穿著紫緞內衣（看我記得多清楚）的身影，我還有什麼搞頭，根本當場就不行了，還有什麼戲唱……

Ａ拿起第二杯的長島冰茶，嗅嗅，說出結論——當然我也不是要幹嘛幹嘛不可，只是一想到漫長未來的人生，這種可能性一旦不存在了，非常絕望。

所以，要想有外遇，還得先外遇一種老婆所沒有的香水？

Ａ沉吟著，終於飲盡幾度舉杯、卻又保留著以備不時嗅嗅的冰茶。

——這，還不能算是一場災難嗎？

我無法及時否認，一陣濃烈的異味霎時密密的籠罩住我們，我發現來源是前來收空杯換菸皿的妹妹，我們所處的高度恰及於她的腋下。

我和Ａ螞蟻一樣的交換了一眼，也不說話，直至動作俐落的妹妹離去。

——你想到什麼？Ａ問。

……咖哩飯。小學考完月考放半天假的中午回家，我媽會做番茄汁炒飯或咖哩飯，用飯碗裝好倒扣在平盤子上，圓圓的，像蛋糕一樣，用調羹挖著吃，我和我妹邊吃邊學美國人說話，天啊那時候可真熱，走在路上都得小心別被柏油黏住鞋子……再多幾秒那個氣味，我一定能想起更多……你呢？

——裁縫店。梅ちゃん的裁縫店，那時候叫洋裁店，我大舅媽常帶我去，我外婆偶爾也會去，因為大都是梅ちゃん來替外婆量身的，外婆只要有日本人送的或比較年輕花色或進口的料子，她會親自去店裡，因為梅ちゃん有最新的服裝雜誌。奇

怪梅ちゃん店裡的布料應該都是全新的，為什麼會有那麼強烈、簡直像蒸餾濃縮了幾百個狐臭人的汗液的那種氣味，你知道，她有一個廢料籠，所有裁剩的零碎布頭都堆在那裡面，我那時五六歲，准我窩在裡面玩，有時玩玩就睡著，那些所有沒用的新布匯合起來就是這個味道，我外婆還和我舅媽玩間諜戰，外婆會假裝不經意的問梅ちゃん我舅媽這個夏天做了幾套新衣，我舅媽也常去架上好好摸一摸外婆那些待裁的衣料，大部分都是日本人送的，有錢都買不到，我舅媽羨慕得很，外婆從來沒轉送過她一塊衣料……

她怎麼死的？什麼病？

Ａ眼神茫茫然，顯然還待在洋裁店。

你大舅媽，怎麼死的？

──沒問。她很瘦，很緊張，我想不是癌症就一定是心臟方面的。……我永遠也不懂死，就像這一刻，現在，我還可以栩栩如生描述出她三十幾歲某一段時間的所有細節，這樣到底有沒有意義呢？之於她的死亡，之於她的不在。我記得國外有個作家說過：死亡，就是我加上這個世界再減去我。有一個時期，這個說法可以說服我，因為我對死始終耿耿於懷，有一個猶太人、可能是先知之類的說過：死亡不過是推一扇門，從現在的世界通往另一個世界，不過唯一擔心被卡在那兒……，我

古都

142

害怕又好奇有關死的每一個細節，例如我這樣清楚記得我舅媽是什麼意思呢？跟器官捐贈、好比她的眼角膜或腎臟仍活在某個活人的體內是同一個意思嗎？若是同個意思，那麼她的死，不就不再是她加上這個世界再減去她了嗎──

我並無言以對，距離上一次聽人談及類似的這種話題，大概是大學時期一個好讀書的女朋友……年過四十，當下想不起的事情，給再多的時間也不會想起，我承認，我想不起那個女孩兒的名字了，雖然我們的戀愛不成功，但也應該不致如此。我迷信的想，給我一種氣味吧，我一定可以想起她，起碼想起名字和長相。

──所以，死到底是什麼意思呢？要是有比器官捐贈還能生動的留在這活人的世界上的東西──

但是，要找尋一種與她相關的氣味，可能比尋找她的名字和長相要渺茫得多，畢竟，想辦法找到那年的畢業紀念冊也就做得到。

──就好比我剛剛說的那種活生生的記憶，甚至非常官能的、氣味的，與藝術家文學家身後遺下的抽象的文字、作品什麼的完完全全不同的──

什麼樣的氣味可以讓我重新想起她呢？活生生的、官能的、比文字圖像、紀念冊完完全全不同的，如同Ａ所說的。

──你呢？你怎麼看待死這件事？

不會是香水，那個年代台灣鮮少香水。那麼學校外的自助餐店？有一個時期，我們常一起約了共進午餐；要不，去一趟圖書館前的草坪，如果碰巧校工在修剪草坪，那割過的草鮮綠味兒也許可以雷擊醒我的記憶；不然去淋一次夏日午後的雷陣雨吧，我們共打一把雨傘卻全身濕透的在她家附近走過不知有多少圈。

她叫什麼呀……？

那日，在濃郁自然的咖啡香中與Ａ分手後，這個簡單的問題不時嗡嗡在腦中。

我嘗試著摘一片桌上觀葉盆景的葉子，揉捏出汁，湊在鼻下玩味，但並無任何可資記憶的相關事物。偶爾假日在家開伙的日子，我也會順便在菜蔬中尋找可有解謎的線索，只可惜妻正迷著做各式義大利通心粉和湯，我在一瓶瓶標示著荷蘭芹、鼠尾草、百里香、羅勒草……中，收集了不少完全陌生的元素，勉強熟悉的是它們的名字，令我想起一首老歌，考完聯考的那年暑假正流行的，還特為了這些個陌生怪異的字查了字典，好記憶力的年紀，從此牢牢記住。

我百無聊賴的到陽台上探訪妻的那些盆栽們。全都是觀葉植物，沒有花，沒有果，儘管有二三十盆二三十種，之於我，就全都一樣了……她叫什麼名字呢？

下一次的見面裡，我有些不好意思的告訴了Ａ我簡單的問題，因為較之他的死亡大問題，我的僅僅無法想起一個昔日女友的名字顯得太不努力了。

於是他邀我一起離開小咖啡店。

夏日晚上的七點，什麼都還看得清清楚楚。

我們像電影裡的一對智者與徒弟、或福爾摩斯與助手華生似的走在一條停滿了車的巷道裡，沒有停車的地方也擺滿了用來占車位的盆栽，Ａ順手連葉帶花摘了某盆栽上一朵肥白的花，手臂伸得長長的遠遠示我，不讓我嗅到，問，會想到什麼？它的葉子綠得黑亮，妻那二三十盆裡彷彿有它……。我遲疑的描述著。

Ａ把它遞到我鼻下，晃動出香味。

不等他問，啊，小學一年級的教室隔座共桌的女生朱梅君鉛筆盒裡每天都放一朵這種花（Ａ插嘴說是梔子花），因為朱梅君人長得漂亮功課又很好，很快的全班起而仿效她，想辦法上學途中這家那家偷一朵梔子花來放在鉛筆盒裡，而且朱梅君還把月光牌香水鉛筆刨下來又香又美麗的木皮也放在鉛筆盒裡，同學有這種鉛筆的也照著學，總之什麼寶貝都放鉛筆盒，人人桌上一個寶藏盒，時而祕密不准看時而開放任人自由參觀。除了梔子花和香水鉛筆皮，有一個時期放的第三多的是牙齒，剛脫落的奶牙，小孩以為洗得再乾淨的蛀牙其實臭烘烘的，與花香筆香混合在一起好令人神往呀……朱梅君，三十年來想都沒想過的名字，後來唯一一次是聯考看起好令人神往呀……朱梅君，三十年來想都沒想過的名字，後來唯一一次是聯考看榜單，她好像是考上東吳。

花香味兒支持到此，我回過神來，非常不好意思，彷彿面對的是催眠師或心理醫生。

——所以其實我並不怕老年癡呆症或萬一有個意外變成植物人什麼的，我相信到時候光從護士小姐們身上的香味，我就都可以不花力氣、看電影似的看盡自己的過去，而且這個過去非常誠實，絕對沒有被長大以後的我們給狡猾的修改過。我建議，要是你太太沒有用香水的習慣，你可以刻意的一段時間用一種香水，有人說這是一種液體的記憶，當然不一定用在身上，如果你介意的話，反正你可以想辦法讓它在生活裡自然的出現，好比你的衣服放在香茅衣櫃裡就不壞⋯⋯一段時間，刻意用一種香水，便於保存記憶，或保存記憶中的女人，若是你覺得記得過去對你來說是有趣、是有意義的——

眷念過去、眷念記憶，與眷念現在、未來、生命應該沒有不同吧？是因為眷念生命，使得A害怕死亡在意死亡嗎？

A雖然沒能幫我想起昔日女友的名字，但他畢竟居然讓我更不可能的想起小學一年級時偷偷喜歡的朱梅君。我不免有義務說說看上次他問我的問題。

我想，我勉為其難的想，反正人都一定會死，不只是人，我們看看四周，什麼都會死，你手上的這朵花、白蟻、烏龜、抹香鯨、青苔、阿里山紅檜、病菌⋯⋯

其實我不知道科學家們是怎麼想的，若是醫學、生物學上的一切努力是為了讓我們晚年好過點、死得平緩不痛苦點，邏輯上是通的，但要是他們以為阻止了所有疾病的發生，死亡就因此可以避免，我們就可以一直這樣活下去，就未免天真得有點恐怖，我記得有個念醫學的科學家說過，昆蟲不會對造成它們死亡的疾病一一發展防衛，它們就是它們，老了便死去。

我說不下去了，一來是向來我對死亡關心太少，二來怎麼會用昆蟲來說明人與死亡，感覺怪怪的。

——我真高興聽到你說人是一定會死的，也許這是常識，可是聽起來滿新鮮的，你說昆蟲，真是非常好的例子，我們地球上隨時少說有超過所有人口幾億倍的昆蟲，它們的生命又大都短暫過我們，簡單說，它們發生死亡的次數密度幾乎可說是無時無刻不在死，可也沒見它們因此發展出什麼哲學，我是說好比有例外的掙扎偷生，你知道十七年蟬，我小時候常愛聞聲找尋它們所停的枝椏，看看罷了，不捕，隔幾日看它們仰臉躺在地上，要不是有時是螞蟻為了搬運方便在肢解它們，它們簡直完好無缺到你不明白為什麼它們肯於就死，以前我總是大惑不解，現在呢，我真打從心底羨慕它們的肯於乖乖就死——

也不是肯不肯乖乖就死的問題，那也許是一種死亡機制吧，我記得有人說過，

動物身上就具有一種保護性的生理機構，在瀕臨死亡時才會瞬間打開開關，帶領牠們在沒有痛苦的平靜中通過死亡，有宗教信仰的人可能就把它具象成各自信仰的神明或神的使者對他們的擁抱接引，不是有那種心臟病死了幾小時的人，救回來以後說，曾經過一個隧道，看到非常和善、溫暖、慈悲的光亮嗎？

我想辦法安慰Ａ，以為他是我鮮少見過怕死之人。

──我是說，不管有沒有大型的戰爭或超級的天災，我們現存的五十幾億人都會在一百年內陸續自然死光，即使不跟昆蟲的無時無刻不在死相比，平均一年也有五千萬人次的死，可是我們一生可能並目睹不了幾次人的死亡，好比你（我插嘴承認，我唯一的一次是當兵時連上一個預官自殺，我甚至還沒有親人亡故），可是我們都會把這幾次的死亡與每一年必然會死的那五千萬人分隔開來，我們忍著傷痛去參加他們的喪禮、我們含淚低聲追思他們，好像他們的死是個非自然的例外，好像說，要不是因為這場意外或這種病或這把年紀，不然其實他們可以免於一死的。這一切讓我非常害怕，更加深了死是災禍、是可恨、是可以避免的、是陌生怪異的事

……

──所以與其說我在意死、害怕死，不如說是我在意、害怕人們對死的那種避而不談、諱莫如深的態度──

他未免太多事了，還有暇管人家怎麼看待死亡，不過這我也才發現世上有兩種人，一種是不怕死，或該說從來不去想與死有關的任何事，儘管他們通常規規矩矩的買保險，另一種，就是A這種了，不過他們奇怪的反倒是不投保的。

天暗了，我們走到巷子盡頭的社區小公園，公園裡坐著幾名發愣的精神病患（我這麼覺得），雖然公園入口的告示牌上很不人道的標示著禁止精神病患入內，禁止的對象另外還有腳踏車、攤販、小動物等。

我們選一段石磚花壇短緣坐下，我可能當場壓死了一簇花葉，我聞到蟛蜞菊的味道，小學三年級，親手在後院埋一隻麻疹死掉的小狗熊熊，掘破了蟛蜞菊的草坪，最後在土墳上放上一小束蟛蜞菊的小黃花……

不知道A可也有蘁待想起而找尋不到的氣味，如同我肯定再也想不起名字的昔日女友。

黑暗裡，A也不回答我的問題，逕自哼唱起歌來，除了好幾段重複旋律的句首有「雷夢娜」三個字以外，他大概不記得歌詞，我也記不得，但是小時候好像聽過，被改成流行歌唱的，現在被A還其原貌的可能原來是一首外國民謠。

——我舅媽，大舅媽用唱機放給我聽過，說這是「倒楣歌」，我問她為什麼，她老不肯說，有一次我威脅她不跟我說我就要自己去問大舅，她才簡單的說，大舅

初中時有個好朋友，也住在鎮上，只要知道大舅又有新書新唱片就會上門來，在台中念商專的大舅這位好友最愛聽的就是這首《雷夢娜》，後來，後來那同學就被槍斃了，不同的案件，大舅坐了六年牢，大舅坐過牢的事是我大了以後才知道，舅媽只說，那個同學被「乓」掉了，所以大舅每次聽到這首歌都會說這是一首倒楣歌……

——是樟腦樹落葉，被竹枝掃把刮著黃泥地給掃成一堆……

晚風中，我嗅著周圍，找尋是什麼引起他回憶的。

——A主動解釋。

——我外公愛修樹，每年不分什麼樹都要修一番，很心狠手辣每種都給理了光頭一樣，那些鋸下來的樹，就全堆在後院楊桃樹和芒果樹間的空地上，曬到乾透了，再一把火給燒掉。我很喜歡每天在樹堆邊玩，頭幾天，我還會躺在上面，葉子綠綠的，很冰涼，像死掉的動物失了體溫，可是很香，各種，不過樟樹和油加利、玉蘭最多，玉蘭好香哪，比它的花要香得多，有時也不是一把火就給燒掉，早幾年外公家還沒接瓦斯管，除了買炭買柴，也用這些乾木頭，我陪我外公和燒飯的阿姨在楊桃樹下整理那些枯木。外公負責把枝幹部分剁下來，阿姨把枝葉綑紮成一小把一小把，作為生灶火時點火用，那些乾樹枝子，死了那麼久，被劈、被撕、被折

古都

150

斷，還是香得很……我外公那時候的年紀，不會比我現在大多少。

樟腦樹，油加利，玉蘭，芒果，楊桃，我會想起什麼呢？

荷蘭芹，鼠尾草，迷迭香，百里香。

紫羅蘭，洛神，桔橙，黃花……彷彿，從字面上，我還比較可以嗅到氣味，勾起回憶，它們常常出現在我打發黃昏塞車時光的小咖啡館桌上，妹妹們調配並命名香水一樣的對待茶品們。

——我很想想能想起我當兵時分手的女朋友，跟你一樣，我們是一種取名為「沙漠之星」的加味茶的成分標示，妹妹們調配並命名香水一樣的對是本來那種缺乏基礎的激情，藉當兵的分隔正好下台階結束，我不知道，大概在我快退伍前幾個月，她出國念書，把我寄放在她那裡的一些書、所有通信、所有我們不多的合照相片全都帶走

是臨畢業前才認識的，熱戀才開始我就當兵去了，哪個是因為果我不知道，我當兵時她每天給我寄一封信，讓我在部隊裡有面子極了——還的意思是，到底是因為要去當兵的時日無多之感，才逼得我們加速熱戀——我當兵

了，或許是燒掉了也不一定……

所以想不起她了？

但是，應該可以有一種配方，好比樟腦落葉加上油加利加竹枝掃把刮過黃泥地

給掃成一堆，可以想起《雷夢娜》……

——有的，我後來在龍泉、就是屏東內埔再鄉下一點的地方、我在那裡當兵時，她來看過我幾次，都住在營區對面最好的一家小旅舍。我晚上想辦法溜出營去陪她，怕她害怕，因為對她那種台北女孩來說想來是滿可怕的，你知道嗎，浴室的地方連個門都沒有，只有一掛花布跟房間隔著，很像我外公家山上佃住的四合院外搭的柴房兼毛坑，我去吃拜拜時都不敢上的，沒有紗窗，鐵條窗外大概是菜園和豬舍，整晚聽到豬的騷動聲和水肥味。因為日光燈管太醜了，她堅持只開小燈泡，就是那種三十年前農人家只捨得點的可能只有五燭光的黃燈泡；還有棉被花色連我們男生都看得出土得半死，潮乎乎的不知道積了多少人的汗水體液，她哪裡肯用。

——白天她都不肯出去，我怕她無聊，幫她租了幾十本日本小叮噹漫畫，有一次傍晚我提早去看她，不知道是不是太熱，她只穿了內衣內褲、紮著兩條麻花辮在床上看漫畫，那個畫面非常刺激我，有點像法國電影裡那些妖精型的小女孩，又有點像傳說裡金門八三么的味道，不是說她們常一面辦事一面看武俠小說解悶什麼的嗎……那是我們第一次上床，我經驗不那麼豐富那時候，不知道是不是她的第一次，不過奇怪她也不怎麼在乎，後來，後來屋裡太熱，我牽著她去逛那個小鎮，那

兩年我朝夕過活的小鎮，告訴她哪一家怎麼樣哪一家怎麼樣，像有一家西藥店在高雄念商專的女兒週末會回來幫忙看店，長得滿清秀的，大家就把一星期以來好不容易努力想出來的小毛病請她判斷該買什麼藥，另外還有一家小吃店裡的價目表是我替老闆用毛筆寫的，也指給她看。

——雷雨過後的所有植物都生綠生綠的飽含著水，我心情好極了，都忘記她是怎麼樣的狀況，後來我們走到小鎮大路的盡頭，一家榮民醫院，它外頭的庭園全是芒果樹，她堅持想吃芒果青，要我替她偷摘小芒果，我摘了一堆，手被它乳汁給染得幾天都洗不掉，我們去雜貨店買了一斤砂糖，一把削鉛筆的小鋼刀，在旅舍房間做芒果青，洗淨、削皮、切片、放軟了去酸去水，最後再撒上糖，這樣忙一整晚黃昏晚上，被她一口氣吃個精光。後來我記得她回台北以後來信說起她上廁所時發現胃或腸出血，大概是芒果青吃的，我那時還突然神經很細的疑心，以為她可能藉此婉轉暗示那流血是她的第一次……

豬肥的氣味，芒果青，五月的南方雷雨午後，潮乎乎租來的漫畫書，小鋼刀……，還得加上自己霉汗的軍服……，我們你一句我一句互相提醒補充著不可或缺的元素，如同配方著一種神祕的香水。

岩蘭草，橡樹苔，白松香，風信子，佛手柑，羅勒草……

據說，作為人的我們，可以辨別一萬種以上的氣味，出乎意料的多？還是少？

牧羊犬有兩億兩千萬個嗅覺細胞，四十四倍於我們，我不免好奇，我們有沒有因此錯失掉了些什麼？或其實這根本就是我們有意錯失的？例如我在遇見A之前。

我的意思是，會不會百萬年來我們的祖祖宗宗遺傳給我們的只是他們認為有用的器官和功能，不多不少適度的記憶，只消提供何者於我們的生存有利何者不利，就夠用了。於是我們的嗅覺細胞只剩現今那麼多，就如同在遇見A之前，我從來沒要想起那些可謂深深藏或根本已逝去的記憶。

沒幹！

不只這樣，我們甚至隱隱害怕，儘管在那些記憶裡，我們啥個傷天害理的事也

我依稀記得一位國外男小說家說過：文學無關乎教化，並非我主張文學是無關道德的，而是說，文學呈現的是個人的道德，任何人的個人道德和他身屬的團體道德很少是一致的。

把道德二字替換成記憶，我們會發現我們多麼害怕那些有意無意被喚醒的真實的記憶，天啊它與集體修改過並可示人的記憶是多麼扞格、扞格到彷彿自己是一個叛徒似的。

最好，只留下有用的記憶，不然會很危險的。

古都

154

第一次，我不再覺得與Ａ的這場遊戲是好玩有趣的。

我換了一家小咖啡館打發塞車時光以等待老婆叫我。

我且在書店找了一本談及嗅覺的科普書，冀望它相對的理性，可以化解掉這陣子以來我與Ａ相處的神祕氛圍。

——整體而言，氣味是一種微小的斯巴達式化合物。

——在一座玫瑰園裡，玫瑰之所以成其為玫瑰，全是一種十個碳分子的化合物——香草醇的關係，而且它是由原子的幾何構成，和這些原子的鍵角來決定其獨特的芳香。原子或原子群在氣味分子內的特殊振動，或整個分子的振動曲調，都曾被人拿來作為幾種理論的基礎，此基礎即假定「鐵頻率」是氣味的來源。

——任何一組原子，如果排列的外形完全一樣，那麼不管稱為什麼化學名稱，聞起來可能都是相同的。

——我們不知道氣味是怎麼刺激嗅覺細胞的，有個看法是：氣味在受體膜上刺個小洞，而產生去極化，但其他研究者卻相信，這個物質也許受了擁有特殊受體的細胞所約束，固定在那裡，用某種方法老遠地展示它的信號，就如同免疫細胞上的抗原那樣。

——

葡萄、洛神、玫瑰、果肉……，是為 Martinique，咖啡館桌上當店店長特別推薦的加味花茶。

我笑起來。

豬肥、芒果青、五月的南方雷雨午後、租書店的漫畫書、小鋼刀……，不可能配方出來的氣味，注定再也想不起長相的 A 的法國小女友。

我不免好奇，這一段日子，非人力所能控制和選擇的，我將會以哪樣的氣味——生動的、官能的——記住 A，如果有一天像他所說的，當他加上這世界再減去他的時候。

我獨自漫步在我們走過好幾回的巷道裡，摘了一朵開了八分的雪白梔子花，急欲知道它會使我想起什麼，——啊，還是朱梅君，中山國小一年孝班的教室，月光牌香水鉛筆皮，蛀奶牙……還有吳正英老師。

天啊，吳正英老師……，大概有近四十年了，我都沒再想起她來，美麗的吳正英老師，正在熱戀中的吳正英老師，每次男朋友來學校宿舍看她，她總是召喚我去，男朋友占坐她臨窗的書桌，我只好和老師坐床沿，她會拿男友帶來的吃食給我吃，我邊吃邊忍住敵意的看著他，他從來不察覺，因為只管滿臉笑的盯著老師看，老師則全心全意看我、照顧我吃東西、誇獎我：「頭這麼大，聰明相。」我隱約覺

得他們暫時把我當成未來理想中的小家庭裡的兒子角色，只好忍耐扮演，心裡同時痛惜不已分秒逝去的寶貴下課時光。

那樣甜蜜幸福氣氛中的年輕的、長髮披肩的吳正英老師，男友、或該說後來一定是她丈夫的那人，有善待她嗎？

我頓時熱淚盈眶，感傷得不得了。

最好，只留下有用的記憶，不然會好危險的。

……

但是大腦怎麼能辨別、並記錄下這麼多種氣味呢？

J. E. Amoore 在一九四九年所提出的立體化學理論中說及∵分子的幾何形狀與其產生之氣味有關聯，當正確形狀的分子出現時，能夠嵌入神經細胞的空格內，引發神經衝動，向大腦發出訊號——

麝香氣味的分子是圓盤形的，能嵌入神經細胞中橢圓如碗的空格內；

薄荷氣味有楔形分子，能嵌入 V 形空格內；

樟腦的氣味有球形分子，能嵌入比麝香分子更小的橢圓內；

醚類的氣味有桿狀分子，可吻合槽狀的空格；

花香味則有圓盤附尾狀的分子，配合碗及槽狀的空格；

腐敗的臭味有負電，會被吸引至帶正電的位置；

刺激性的氣味則帶有正電，會被吸引至帶負電之處；

有些氣味同時能配合數個缺口，因此有多種氣味或是呈現其混合味道；

……

似識似詩，當然也很像一首古怪的饒舌歌歌詞。

我揀出妻規定我吃的一串葡萄中的一粒未長成的生綠幼果，不知它的分子該如何歸類，肯定不是圓盤形，不是球形，不是桿狀，不是圓盤附尾，儘管即將死亡卻來不及長大的生幼果是不可能帶有腐敗的負電，那麼它將嵌入我的大腦皺褶中的哪一道缺口呢？

我參禪似的面對它良久，確定可以管理的意識部分確實沒有與它相關的資料，我招破它，擠壓搓揉它，像阿拉丁摩挲神燈以企待燈奴現身。

煙霧果然隨之瀰漫，婦聯一村……，我一嗅再嗅，念出幾名好幾百年前的玩伴——這我也才懂Ａ在飲啜一口長島冰茶時不由自主吐露的、可能對他而言也如密碼一樣的符號——，水災過後的大遷村，我們日日處在無政府狀態的快樂裡，佲大院子的花木搬不走，以前每被我們得冒生一覺醒來又有消息傳來哪幾家搬了，現在可大大方方的任我們悠閒的蹂躪終日。但命危險去打劫的誰家葡萄誰家桂圓，

我們也不因此就願意等它成熟，還是老樣子生綠生綠才豌豆一樣大就摘了吃，酸得口水掉的比吞入肚裡的還多。

寶心她哥個兒小靈巧，攀上竹籬笆牆摘得快又多，跳下地時一支裂開的竹片倒插進小腿，他齜牙咧嘴的使力拔出來，腳下抓把灰土搗在傷口上阻止血流，看得人頭皮發麻，但都沒人怕他會死掉。

我們一家一家的去探險，偶爾撞到疑似鬼的誰家大哥誰家大姊在幹炮（我們這麼修辭，現在想想不過是擁抱親吻之類），悠長沒底的夏天，夥伴一日少過一日，遷往的新村子不盡相同，有的道別：「我們去ㄋㄢ ㄐㄧㄥ。」有的炫耀：「我家去ㄋㄢ ㄐㄧㄥ。」都不知道是哪裡耶，都沒有離愁，也不約定寫信，好像四ㄕㄢ ㄓㄤ ㄎㄞ，有墳墓山喔。

海兄弟日後理會當會再相聚，例如廖霸就坐在搬家的軍用大卡車前座上，威風豪氣的對我們揮手大喊：「反攻大陸以後，南京再見！」

沒有一個我再見到或想起⋯⋯只除了幾年前報紙社會版上看到綁架日僑小孩失風被處死刑的劉××。

劉××與我一樣是最後離村的幾家，有次我們逮到搬走的誰家遺棄下的小狗，劉××負責操刀，小胖狗見人就搖尾巴猛笑，天啊我和毛五本來還打算瞞著家裡偷偷養下牠的。劉××不會宰，弄得到處鮮血狼藉很可怕，而且狗血來宰殺烤了吃，劉××一樣是最後離村的幾家。

得個腥，我和毛五怕被笑膽小沒種不敢不吃，像在參加什麼祕密入會儀式似的被劉××瞪著吃，一嘴血。我好希望不會和劉××遷往同個村子。

劉××除了殺狗，還殺老鼠，殺蛇，殺貓……各種蟲子早殺光了，夏天就要過完了，一到夜晚，幾百戶的大村子只剩十來點分不清遠近人家的燈火；遠遠沿半個村子外緣的縱貫公路久久才會有車燈無聲的閃一下而過，是我們知道外頭世界還在著的唯一證明。我不知道爸爸到底在猶疑什麼，為什麼遲遲決定不了要搬去ㄋㄚˇ ㄕˋ新村或ㄋㄟˇㄨˊ？我害怕來不及轉學沒學校可讀，雖然天知道我真希望暑假永遠放下去不必上學，可是這樣早晚下去，劉××會弄個人來殺殺並且烤了一定會逼我和毛五吃他的雞巴。

最好，只留下有用的記憶，不然會好危險的……

我丟掉被揉捏得稀爛的生綠葡萄，惟不知為何它帶有正電的氣味牢牢吸附不肯離開……到底，我們殺人了沒？

逃難一樣的大遷村中，丟失了一些人口。有七個兄弟姊妹的孫家，搬到新家安頓好的晚上才發現不見倒數第二的囡囡，連夜回村找一夜，不死心，又回新家整村搜巡，好幾天以後村外的公廁死老鼠臭翻天，孫囡囡被鬼給抓走好幾天了，因為公廁鬼故事太多，我們不大意外；也有盼盼的哥哥沒上搬家車，第二天在大漢溪浮出

來，雞巴耳朵都給魚咬光了，就是劉××說的，他有跑去看；還有單身負責掏垃圾箱的老士官ㄣㄟㄟ，幾年後有聯絡的大人們才確定他也遺失了，原先互相都以為他遷往對方的村子；當然還有常出沒在廣場邊和公廁旁的荒草場的流浪漢，也沒人知道下落……我看過劉××奉母命拿剩飯菜給流浪漢時趁機捉弄他……難不成，他是被我們給宰殺了？流浪漢？老士官ㄣㄟㄟ？孫囡囡？……

我趕忙在葡萄串中重新找尋一顆早衰不長的生綠果粒，認為它一定能夠解開我的宇宙大祕密，我摩挲它，煙霧再度瀰漫，……但它只肯給我一陣微風就足以吹斷的線索……我必須回到一個夕陽裡的荒草場上，圍繞公廁三方、比我們三年級個兒高的草叢，可能是蓬類的長草齊齊放出一種強烈的攻擊味兒，抵禦我們地毯式的蹂躪摧折，常常，我們只是在其中比賽捕捉七星瓢蟲，好多隻小瓢蟲給握攏在汗濕的髒手心，它們因恐懼而一起拉的屎也有一種氣味；有時我們發了瘋找寶藏，因為總有大一點的哥哥們會發誓誰誰前天在其中出野恭時拾獲了一枚金戒指，我們相信透了，因為包括我們父母都警告我們少去荒草場裡野，常有偷兒們在那兒聚賭分贓，撞到的話會給殺了滅口很危險的……

會給殺了滅口很危險的。

正電帶一些圓盤附尾狀的分子不肯再多告訴我什麼了，除非，除非回到那樣一

個荒草野地的晚風中——晚風中，有你我的夢，風中借來一點時間緊緊擁，擁的那

個夢，像一陣風，像一陣風——

風中借來一點時間……，我一定被催眠了，無法醒來，我很想再見到Ａ，相信

他能像催眠大師那樣輕鬆一彈指，就可以把我自不醒之夢中給喚醒。

下班後，我重新再去原先我們常去的那家小咖啡店，那自動門一開，所有匯集

湧上的味道，好像我從來不曾離開過似的。

但不見Ａ來……

我連他的名字都不知道……

等待他的時日，我像一個不問目的在讀經的信徒，靜靜不疑的攤一本科普書

念。

——氣味，人與人之間非本願的信號交換——

——據說，精神分裂病患就是因為錯解了他自己和別人的信號，所以才會不辨

人我和真實——

——傳說精神分裂病患的身上有一種常人所沒有的氣味，最近科學才證實他們

的汗液中含有逆３甲基己酸——

——作為各種生物之間的溝通之用的嗅覺受體，對於建立共生的關係非常重

要，如螃蟹和海葵——

如Ａ和我。

Ａ說過，雖然香水廣告大都把香水的調製過程譬喻成作曲，例如某些香料、某組香料等於音符、和弦或樂器；前味如同易聽到的高音部，酒精散盡後，便可以察覺中音部的香料，通常是花類，最後才是低音部，有時它們釘著肌膚能長達兩三天之久。

Ａ於是說，其實香水更像性愛過程，前戲、過程、高潮、撫慰，最終釘著肌膚久久不散能達兩三天之久的，幾乎總是源自動物——可不是指歡愛的對方——，通常是龍涎香、海狸香、麝貓香、麝香……古老的氣味使者，伴我們越過林地與大草原，有人詩意的如此描述過。

更有人說，如果我們把香水給某人，就等於給了他液體的記憶。

拉丁文中的 Perfumum 明白的告訴我們它的由來，per（透過）fumum（冒煙），焚燒動物屍體以獻祭給諸神的貢品，就像《聖經，創世紀》第四章所描述夏娃亞當之次子亞伯：亞伯是牧羊的，亞伯將他羊群中頭生的羊的脂油獻上，耶和華看中了亞伯和他的貢物……此外它也用在驅魔儀式中，也用來治療病人，也在性交後使用。

薰香在古埃及、美索不達米亞、印度、中國的古文或遺物中都有記載，起初只限諸神使用，後來允許祭司使用，再後來及於神聖的領袖、世俗一般的領袖……香水起初以薰香、膏油的形式存在，一三七〇年代，香水加入酒精，當時稱為「匈牙利之水」，十字軍東征，帶回東方香料和阿拉伯人鍊金蒸餾的化學知識技術，香水於路易十四時代大為流行。

路易十四自己雇用大批僕人專司四處噴灑玫瑰露和薄荷，並以丁香、豆蔻、蘆薈、橙水、麝香清洗其衣物，他且堅持要求香水師每天為他發明一種新香水。

路易十五，僕役常奉命把鴿子浸在不同的香味中，在晚宴時放出來，讓牠們飛到賓客四周。

王朝末代的拿破崙三世，以皮耶·GUERLAIN 調製的香水成功追求到西班牙美女尤琴妮。GUERLAIN 一族從此獲頒詔被冊封為皇家香水化妝品專家。

——儘管我們不需像動物用氣味標記領土範圍、建立階級、辨識個體，或者知道女性何時發情，但只要看看我們大量的使用香水，以及它在我們心理上產生的效果，就可以清楚的看出，氣味其實是進化中的老戰馬，我們梳理它、餵飼它，就是

不能放它走——

我梳理著我的老戰馬，餵飼它，不肯放它走，以待 A 的出現。

我點了Ａ常飲的長島冰茶，冀能想起他，或想起其實初識時他可能曾向我介紹過的名字，我一再梳理它，想起的卻是有一年獨自出國旅遊回來的妻那時所用的一種冰清味兒的香皂，忘了當時我們為了什麼事情冷戰兩三個月，日日，我嗅著浴罷的她只能遠觀不能近玩。

我刻意在那位腋下有著濃郁體味的妹妹來換菸碟時深吸一口大氣，仍然只能想起小學考完月考的中午回家所吃的咖喱飯。

究竟我想藉Ａ幫我喚起或遮蓋住什麼呢。

我深深想著那位我和劉××可能殺掉了的流浪漢，伴隨一種暴力美學似的詭異幻變的晚霞中繼續反覆那首歌——今晚的風，和明天的夢，到底在你心裡有多少影蹤，可否這個晚上，借來時間，借來晚風，把我的愛送到你心中——長久以來第一次，終於未藉鼻子，想起這是電影《上海之夜》裡的主題曲，電影裡，琴聲隨著晚風遊走整個城市，老遠的青年作曲家在樓頂用小提琴拉他新作的歌曲，窮困不得意橋下紛紛驚起一掛破衣爛帽的乞丐傷兵遊民，聞風而出引頸遠望，其後一兩年，大約他們其中甚多人隨國府渡台，莫名其妙在ㄋㄢˋㄐㄩㄥˋㄕㄣㄓㄠˋㄌㄞ˙ㄋㄟˋㄏㄨˊ落腳，並被宰食告終？

今晚的風，和明天的夢，到底在你心裡有多少影蹤？……天啊多少年來第一次

我多麼想念那些媽媽們，那些哼唱著類似此等白光周璇小曲的各省媽媽們，你相信嗎，她們連下廚、做家務也穿著旗袍（想想我們那些一身休閒短打卻花費不貲的妻子們），有一陣子，小妹為了要收集金銀財寶，一定要我帶她去玩伴家串門子，那時候家家的媽媽們都在做繡珠繡線的女紅，有人定期來發材料和工錢，貼補家用。她們很多人連我那時都看得出根本不會繡，幾個大小姐似的在努力模仿記憶中老家的女紅丫頭老媽子的嫻熟樣子吧，珠子亮片因此常常散落地上，我妹就不動聲色的撿拾它們，充滿了耐心，她完全相信有一天攏到某個數量，我們家就會「發財嘍」！

那些媽媽們，有時吹起鳥窩頭來，美過《南國電影》畫報裡邵氏、國泰公司的女明星，她們叫來三輪車，盛裝進城參加丈夫們單位裡的勞軍晚會，我們路邊不禁玩得歇手，看得呆呆的。

第三段歌詞是：我心的愛，是否你心的夢，可否借一條橋讓我倆相通？在這借來的橋中，明天的我，明天的你，會不會再像那天相擁。

有些媽媽苦練著歌，希望因此能得到晚會的第一大獎，大同風扇或美軍毛毯，我清楚記得她們垂著眼睫邊繡邊唱、一心二用的樣子，那時散落在地上的碎布料、廢線頭裡，彷彿混著很多口水味和最小的小孩的尿騷味，我無法想像她們曾經更年

古都

166

輕過，也無法想像她們後來曾經老過，她們早已不被家鄉的親人記得，她們也不被在此落地生根的後代所了解並感同其情……，借來的時間，借來的晚風，她們至今應該死了大半了吧。

A說過，大約二千五百年前的希臘作家曾如此推薦：用薄荷塗在手背上，迷迭香用在膝蓋，肉桂、玫瑰或棕櫚油則用於下顎和胸部，杏仁油用在手和腳，墨角蘭用在髮和眉……，不厭其煩以之擴大他們的存在，伸張他們的勢力範圍……然而A自己始終不來這些，以致我無法藉由任何（例如我身上自己始終嗅不到的香茅油味兒）味道來記得他——原來這麼簡單！一團溫暖讓人立時好心情的咖啡濃霧中、如絲如縷的——A在身後喊我：「哈囉香茅油。」

因為發現原來他也是有氣味的，我急得不得了的質問他，從頭就一直有在用這種東方調的香水嗎，我邊思索邊追問：「有胡椒、蜂蜜、安息香、東加豆、肉桂、杉木……沒有動物香。」

——我去了一趟屏東龍泉——

——雄劍掛壁，時時龍吟。

——是樟木，我老婆喜歡把衣服放在樟木箱裡。

我們沒來得及追問並交代彼此這一陣子以來各自的失蹤原由。

或許，我該去一趟ㄈㄨˊㄓㄡ�14`（我仍然不知道是哪幾個字，三十年來我從來沒在任何文字上再看過有關它的回憶或報導），如果我真的想破案我們有沒有宰食劉

××、不、流浪漢……

——我故意選了差不多的季節，故意不開車，跟那時一樣從屏東火車站前搭客運經過內埔到龍泉，當兵時幾乎每星期都要來回一次的路，有一半以上的景色不認得了，蓋滿了醜得很完蛋的新房子，可是只要閉上眼，車窗完全打開，那種所有植物匯集著夏天夜晚的各種蟲鳴，有沒有，就像颱風過後第二天的空氣味，被吹折的枝葉香、乾淨的水氣……潮水一樣全湧上來，濃得都快變成固體，堵著你的眼耳鼻口不能呼吸，會窒息的——

我怎麼會不知道那種夏日深夜的風，就是那種和女友在校園或電影院纏綿得一身大汗一身欲念、數度勃起數度掩熄，而後得趕女孩宿舍或家裡門禁前的最末一班公車送她回去，幾乎只有你們兩人的公車上，車窗開得大大的，吹乾了褲襠的黏膩，吹跑了欲望，吹醒了感情，你忍不住喃喃在她耳邊說著真心的誓言，只是那誓言也被同樣的那風給吹走個精光，不能怪我們。

但是終於該想起了那個法國小女友了吧？我問A。

——我甚至勉為其難去住了那家旅社．老闆很防備我，一直叫老闆娘一會兒來

古都

168

送衛生紙、點蚊香什麼的，以為我可能要服毒自殺，旅社變冷不多，只除了多裝了電視，一堆第四台可看，所以不會有人再去租漫畫書來看了吧……，香茅油啊我想不起她了——

他媽的因為少了又濕又髒的漫畫書嘛！我近乎指責的怨怪他，比他還怕會想不起那個法國小女友。

——怎麼沒有！我當然還是想辦法去找了一疊，我還去摘了幾顆芒果，老天那家榮民醫院生意比以前還好，樹下坐一堆老年癡呆的，我還去買了黃砂糖、小鋼刀，都齊了，你還記得我跟你說過的那個藥店西施——

可是旅社房間外還有菜園還養豬嗎？這個年頭我不相信還有人會做這種大蠢事！

——是沒有了，起了一棟三四層的透天厝，整晚都在唱卡拉OK男女老少一家子。可是空氣裡一樣還都是農村味，菜園水肥味，我想是軍隊阿兵哥在養豬種菜，我們那時就是這樣，可以加菜，而且真的太無聊，你知不知道，那時在我們營房旁看守彈藥庫的憲兵連弟兄最常和我們電話聯絡的內容就是：喂喂喂搜索連，你們的豬又跳牆出來啦——

——那是哪兒出錯了？我分神想著那好令人懷念、充滿著春情騷動的年少時的夏日

晚風，十幾二十年不曾有了吧，一來難得再有機會搭公車客運什麼的，二來改成冷氣車後的車窗完全被禁開，此外，現在的台北，怎麼可能還有可以車行時速七八十公里的時候？……借我一樣的晚風，也許我會多想起兩三個我曾經為之瘋狂的女孩兒。

——香茅油，我前不久讀到一個很恐怖的資料，研究報告說，阿茲海默症患者通常在失去記憶時，同時也失去嗅覺——

——天啊，那不是表示……

——是的，那表示死亡會提早到來——

而且不只是我們自己的死，那些藏著的、眠著的、未及發現的，將會如蜜蜂一樣的嗡嗡飛湧而去，當他們不再被記得，就真的得沉酣不醒的永遠不在了。我真不知道是他們為了他們早晚將面臨的再次的、正式的死亡而感到不安。我真不知道是他們棄我們而去，還是我們徹底的棄絕了他們。

——我已經想了好一陣子，包括其實老年人並非不怕死，你以前不是說過那是因為開動了死亡機制嗎，我想，他們不怕死，不怕一年以後的死、五年以後的死、猝不及防夜晚隨時可能到訪的死……，他們不怕，是因為在那一邊，死人的世界裡，熟人、親人比較多，甚至遠遠多過現存的親友，你不覺得，那個未知卻熟人較

古都

170

多的死掉以後的世界，可能反而充滿著吸引力，搞不好他們捫心頗暗自歡迎呢——

畢竟，死，除了沒有生命又怎麼樣？它至多不過如此。

——香茅油，要是死前還有一點點時間，還有一點點嗅覺，自然也還有一點點記憶，你最想做的事是什麼？

我最想做的是……

——我是說第一感，不是出於理性的交代遺囑處理財產什麼的——

我最想，我最想集合我們那群最後一個夏天一起玩的夥伴，不計前嫌，不好奇敘舊，不批評彼此的老相，回到我們那塊祕密荒草場，你不知道，我們除了找野番茄吃、找金銀財寶之外，我們還挖地道，我們相信只要方向正確無誤，只要大家別裝病偷懶，很快我們可以在遷村之前挖成功一條通到美國的快速通道……我好想他們，不騙你，我好想能再見到廖霸、毛五、劉×××……

我竟像一名老酒鬼似的嗚咽起來。

我不知道大家為什麼一心想去美國，那時候。

——龍泉回來以後，我順道回了外公家一趟，因為有好幾年的暑假我多少都會回去住一段時間。我外公有收藏癖，所有我們孫輩的任何信件、畢業證書、獎狀、學費單據有用沒用的、包括二十幾年前的郵局包裹回單，他都收得很好……我找到

171　匈牙利之水

了當兵時寫回去的幾封信，還有當時的應該也不算日記的筆記本，記朋友地址，記人家欠我我欠人家的錢數，偶爾記一點想法，你知道我發現了什麼嗎？

毫無疑問！發現了法國小女友的相片或信件！

——筆記本上我寫著：Ａ好香（記東西時我都習慣給女朋友用個代號以防後患），我寫，Ａ好香，問她用什麼洗頭或洗澡，她說她搽了 j'aiOsé 香水，Ａ家真的大概很有錢——

不用說了，那麼只要趕緊找到 j'aiOsé 就成了，畢竟那時Ａ那個占有欲太強的瘋狂老婆還沒出現，那個叫什麼的 j'aiOsé 香水攜帶的純純粹粹就該是法國小女生的記憶，也就是說，只要掀開或噴抹一點 j'aiOsé 香水，簡直、簡直就像阿拉丁神燈一樣，法國小女生必將乖乖聽命、燈奴一樣的不能不現身了。

——問題是，我找遍了台北的香水店、百貨公司、真品平行輸入店、精品店、委託行……沒聽過這牌子的沒聽過，好些年沒賣過的沒賣，香茅油，它可能絕版了。

……

多日後的今天，九月四日，我和Ａ如常在腋下散發著濃郁咖哩味兒的妹妹的咖啡店裡見面，我們一齊細細讀著兩大日報的分類廣告版上的一方文字：「誠徵

j'ai Osé 香水一瓶，拆封與否均可，如有仁人君子肯予割愛，必定重金酬謝，請電話

聯絡（02）29321832]。

確定並無一字再需校正或更動，我們打算一直刊登下去，不用說，直到 j'ai Osé

出現。

等待的時日，我們並不虛度，每天一人準備至少三件不同的東西，例如我閉

上眼，A將今日的第一件在我鼻前一晃，「任文蔚老師，」眼睛睜開，是一條小學

生寫毛筆字用的墨條，五年級的書法課堂上，高大、美麗、獨身，那時我們覺得很

老、現在想來至多四十歲的瀋陽籍的任文蔚老師。

A闔上眼，我把一朵妻昨晚置在水晶碗裡清水養著的夜合花擱在A面前，半

天，A睜開泛著水光的眼睛：「阿婆，」「黃昏廚房阿姨在生火做飯時，我外婆總

喜歡到庭園裡摘一朵夜合花或含笑，插在上衣鈕扣眼裡。」

輪到我。墳墓山，釣魚，鯰魚，可憐的蚯蚓。是月桃花薑科辛怪的葉子。

──玫瑰，茉莉……Joy 香水，××酒店，維多利亞港──，A有些不好意

思，但準確無比的說出想必是他老婆精心炮製的某次十年一度吧？

「辦公室，」我嘆口氣，很疲憊的感覺，張開眼睛，是傳真紙。

當然也有並無記憶可資陪伴的氣味。

我把一粒又硬又綠的果子給刮破，A半天只說得出「反正是植物就對了」。

是一粒苦楝樹樹子，夏天的時候，村中大路兩旁的苦楝樹會開滿一整樹的雪青紫花，花多到一種地步，就可以有一種毒毒的氣味，我們在樹蔭下看流浪漢在吃一小盞天霸王冰淇淋，羨慕透頂。其時，我們以苦楝樹子當子彈，人人腰上各插一把自製彈弓，正打算出發前往隔一條縱貫公路的婦聯二村探險。

我們另外準備了一式二份的分類廣告稿各自小心收藏，以防我有不測時能及時刊登，上書：「葛樂禮颱風時住在婦聯一村的中山國小男生們，請於□月□日□時在ㄈㄨˋㄓㄨㄥ公車站牌集合，不見不散。仔仔。」

自然，我其實很想能在屬於我的這份分類廣告稿上加進一段《晚風》的歌詞，

歌詞是：

會不會再像那天相擁——

明天的我，明天的你，

在這借來的橋中，

可否借一條橋讓我倆相通，

我心的愛，是否你心的夢，

有此萬全之準備，我和Ａ可以放心等待，結伴以終，等到地老天荒，等到天下黃雨，直到不見不散。

一九九五年九月

古

都

大概，那個城市所有你曾熟悉、有記憶的東西都已先你而死了。此刻隔著大洋想起來，它更像一條陌生、沒有航標的大河，你生活其上，時不時做些妄想撈月或做些刻舟求劍之類的傻事。

難道，你的記憶都不算數……

那時候的天空藍多了，藍得讓人老念著那大海就在不遠處好想去，因此夏天的積亂雲堡雪砌成般的顯得格外白，陽光穿過未有阻攔的乾淨空氣特強烈，奇怪並不覺其熱，起碼傻傻的站在無遮蔭處，不知何去何從一下午，也從沒半點中暑跡象。

那時候的體液和淚水清新如花露，人們比較願意隨它要落就落。

那時候的人們非常單純天真，不分黨派的往往為了單一的信念或愛人，肯於捨身或赴死。

那時候的樹，也因土地尚未商品化，沒大肆開路競建炒地皮，而得以存活得特別高大特別綠，像赤道雨林的國家。

那時候鮮有公共場所，咖啡館非常少，速食店泡沫紅茶KTV、Pub更是不用說，少年的只好四處遊蕩猛走，但路上也不見人潮洶湧白老鼠一般。

那時候的夏天夜晚通常都看得到銀河和流星，望之久久便會生出人世存亡朝代興衰之感，其中比較傻的就有立誓將來要做番大事絕不虛度此生。

那時候的背景音樂，若你有個念大學的哥哥或姊姊，你可能多少還在聽披頭四。要是七〇年代的第一年，那麼不分時地得聽Candida，以及第二年同一個合唱團的敲三下，若是六九年末，你就一定聽過Aquarius，電視節目《歡樂宮》裡每播三次會出現一次的那個黑人合唱團 The 5th Dimension。再早一點的話，你一定聽過學士合唱團的《Can't Take My Eyes Off You》，錯過這首的人，十年之後可以再在《越戰獵鹿人》裡的那場酒吧戲聽到。

雖然你喜歡的是 Don McLean 的《Vincent》和《American Pie》，為此我們只好把時間延後兩年——且讓我確定一下資料，《Vincent》是七二年五月十三日登上排行榜，那麼，這就是七二年的夏天吧，你充耳不聞舞會裡的熱場第一名三犬夜的《Joy to the World》，自然也不理夏天過後三犬夜會更紅的《Black & White》，你專心一意的翻查剛買不久的東華英文字典，找尋歌詞中的生字意義。

Starry starry night……同樣一個星星的夜晚，你和A躺在一張木床上，你還記得月光透過窗上的藤花、窗紗，連光帶影落在你們身上，前文忘了，只記得自己說：「反正將來我是不結婚的。」A黑裡笑起來，「那×××不慘了。」×××是那時正勤寫信給你的男校同年級男生，一張大鼻大眼溫和的臉浮在你眼前，半天，A說：「不知道同性戀好不好玩。」你沒回答，可能白天玩得太瘋了，沒再來得及交

179　古都

換一句話就沉沉睡去，貓咪打呼一般，兩具十七歲年輕的身體。

＊咸豐七年春正月、淡水大雪

你們從來沒機會知道同性戀好不好玩，太忙了，一兩年間的事兒，所動用的情感和不一定是傷心才掉的眼淚遠遠超過其後二十年的總和。

你們總是說出城就出城，坐那世紀第一年就完工的鐵路的話，有座位不坐的一定坐在車門階梯上，迎風高唱剛又背好歌詞的歌，次年夏天的話，你們一定會唱繫條黃絲帶在老橡樹上。有時搭客運，那時的北門尚未被任何高架路凌虐，你們輕鬆行經它旁邊，便像百年前的先民一般有出城的感覺，經鐵道部門口，在泉町一丁目搭車，一刻鐘不到就到差不多十五年後飆車揚名的大度路。

車速以時速一百公里衝越關渡宮隘口，大江就橫現眼前，每次你們都會非常感動或深深吸口河海空氣對初次來的遊伴說：「看像不像長江？」

車過竹圍，若值黃昏，落日從觀音山那頭連著江面波光直射照眼，那長滿了黃槿和紅樹林的沙洲，以及棲於其間的小白鷺牛背鷺夜鷺，便就讓人想起晴川歷歷漢陽樹，芳草萋萋鸚鵡洲。

你們並不每一次都是去找Ａ的男孩子朋友們。儘管那些男生為數不少，但都頗難找到，他們有些人民公社似的同寢同飲在田野間的四合院農舍，只差沒有自耕自食。也有一人住在鎮郊的油車口，就理直氣壯不用去上課，但因此更難找，據說大部分時間他都在山服社，有空的時候就在興化店一帶寫生梯田或在重建街上素描一間間的老街屋。也有一人住在鎮裡尋常的彈子房樓上，晝伏夜出邋遢得費解，他屋裡的四牆掛滿了他拍的照片，大部分是風霜的沒有性別的老人的臉，但你也看過Ａ裸著肩，胸前只圍了什麼織品的相片，不知道Ａ什麼時候給拍的等等……

不管找不找得到他們，你們最終一定會走到清水街，穿越你們那時非常害怕的傳統市場，不去龍山寺，儘管Ａ的其中一名建築系男友最喜歡請你們在廟前廊柱下邊吃鹽水帶殼花生邊講該廟的歷史和建築給你們聽；既好奇又同情的善男信女毫無興趣，你們從不求籤，也對廟裡的老鴇們坐鎮的小旅社，就是清水巖了。你們只管走過終年白煙瀰漫的金爐，橫過山丘腰的窄窄小徑，右手邊是生滿了野草青苔的石壁或民房的磚牆，另一邊，就又是大江海口了，你們都故意忽視腳下單脊兩屋坡的閩南式斜屋頂不看，彼此一致同意眼前景色很像舊金山，雖然你們誰也沒去過。

山腰小路的盡頭，得穿過別人家的廚房，回到重建街，然而你們走避不及離開

這條最老的街道，忍受著重回現實穿過魚鮮攤豬肉鋪、終年炸魚酥的大油鍋、雍正年間建廟的福佑宮，小心別被客運撞到的走在窄小的中正路上，不會太遠，你們像回到家似的熟門熟路拾級而上渡船口正對的窄巷，石階縫裡永遠長著潤青應時的野草，只差沒向二號和四號的人家喊一聲：「タダイマ！」回來啦。

你們回家的紅樓的圍牆和鐵柵門時鎖時開，不管如何你們都進得去，兩人在庭前臨江的短垣坐定，頭上有一株苦楝、鳳凰、一叢亂竹，都擋不了任何陽光海風，有時那鳳凰像著了火一樣爆開一樹花海，你們又覺得像在西班牙或某些地中海小鎮了。

紅樓是幢米白色殖民風的建築，是上個世紀末的某名大船商的宅邸，後人不知如何處理的，其中也像人民公社似的住有一窩男生，都是附近大學和工專的，有些不去上課睡到下午才起床，裸著上身站在陽台上愣愣的看著你們，有剛做完春夢的就向你們吹聲口哨或語帶威脅：「喂你們沒看到大門上的牌子閒人勿進！」

你冷冷的看回那男生，陽台上曬晾著他們的內衣褲，迎風獵獵作響旗幟一樣。

你們坐在短牆上，像坐在一艘即將出航的船，你彷彿看到船長在航海日誌上寫道：AM6:30．N34°26′E17°28′，二十節強勁西風，抓三三○度航向⋯⋯

同樣心情的Ａ永遠比手畫腳講著話，你多想和Ａ一樣的身裁，高一米七，游泳

選手的平肩，長手長腳，雖然也有胸脯，但更像運動員的結實胸肌；你不滿意自己，窄窄的腰，如何都藏不住的圓潤的胸，女孩子氣極了的手腳……很矛盾的你有時又更想像宋，A口裡常常提到國中時期最要好的宋，宋是獨生女，宋最愛哪本書、哪科老師、哪部電影，宋最怕什麼食物、最討厭哪種男生，宋和A約定了一起得考上同一個高中，宋考前病了整個月，只考上城南的女中……，沒見過宋，卻起得考上同一個高中，宋考前病了整個月，只考上城南的女中……，沒見過宋，卻沒有一人比她還清楚分明的存在這世上。

一次你和A蹺課去青康看二十元兩部的電影，因其中一部是A那時最迷的喬治·卻克里斯。散場時你聽到有人喊A的名字，聲音很小卻異常清晰，你直覺是宋，果然是宋，穿著萊姆黃的學校制服，個子纖小到A可以很戲劇化的輕易一把抱起凌空轉兩圈。A向宋介紹你的時候，你只覺得宋的眼睛正注視著你，好大好黑好空洞。

A隨後毫不猶豫的便陪宋去搭車送她回家。

你不能獨自一人走在沒有球賽又寂靜又灰色的棒球場外，怕會想到啊那些與你年紀相仿的球員英雄們都老了，便只好穿過馬路到對岸，對岸不料也荒草長長，五年後這裡會豎立起巨大廣告看板，號稱將在此建蓋全東南亞最大的旅館商場，鬼才相信。再五年後旅館商場建成，你隨後的婚禮竟就在那鬼才相信的五星級旅館某宴

會廳舉行的。

你一人走在荒草長長的路上，看著通紅的晚霞……心裡寧靜的微小聲音唱著學校合唱團正練習的《當晚霞滿天》，唱到我愛、我愛，讓我祝福你……，眼前嘩嘩嘩的降起漫天大雪。

*可憎的綠，濕滑的城，總督垂垂老矣，有著遠古的雙眼。

——D·H·勞倫斯

然而百花曆裡言及農曆七月是這樣：七月葵傾赤、玉簪搔頭、紫薇浸月、木槿朝榮、蓼花紅、菱花乃實。

總之為了襯那陽曆九月格外才有的 Wedgwood 藍的天空，所有紅色系的花都開了，南美紫茉莉、珊瑚刺桐、大花紫薇、仙丹、鳳仙、朱槿、美人蕉……尤其那總從牆頭簷角探出頭來的朱槿，四九年來的那批青壯漢子和三百多年前為了解救靈魂和取得胡椒而來的葡萄牙人西班牙人，都因此印象良深，尤以離鄉多時的後者，忍著發狂的回想真是何其相似的藍天、白牆、綠樹、紅花、黑髮、黑眉睫，以及類此情歌：讓我注視著你，利馬來的女孩，讓我向你敘述夢的榮耀，那些喚醒古老橋

古都

184

梁、河流與樹林記憶的夢……，歌名很可能叫《肉桂花》之類。

其實也有並非紅色系的白瓣黃心俗名雞蛋花的緬梔花盛開（例如四條通基督長老教會庭院和泰安街三巷二號……），那略帶藥味兒的幽甜，屢屢勾起好多清晨匆匆趕著通勤和送小孩上學的媽媽們的惆悵，好想能像曾經的好些年的九月一樣有學可上哦，新制服、新同學、新教室、新老師……，一切都是新的未知的因此充滿了無限可能，儘管有人規定你必須這樣不許那樣，但是規定之外卻全都可以全都自由，真正的自由，不是你目前以為的可以選擇蒙特梭利或福祿貝爾幼稚園或奧福美式學園的那種自由，也絕非是替孩子選擇月薪四萬二或四萬五的工作的那種自由。

你們就充分使用著這種自由──二十年後有政治正確意識的作者若言及此段時日，必得讓你們加入釣運及退出聯合國後續發展的百萬小時奉獻運動或山服社，要不，得為你安排有個當年事變受難者的父祖輩，或去偷偷幫郭雨新、康寧祥發傳單，或認真閱讀《自由中國》、《大學雜誌》並因而啟蒙，或至不濟該為年底即將登場的中日斷交而摩拳擦掌──，你們與周遭大多數的人一樣對上述種種一無所知，西元四百年左右，人們停止信仰宙斯，一六五〇年左右，不再相信巫師術士，一七〇〇年，始對神的啟示產生普遍的懷疑，不也如此嗎，每一個時代的光彩和苦難老是只屬於那少數幾名先知先覺、巫師術士。

才不管開學了，你們像每一代死愛玩的那些一樣，總有辦法離開上學中的學校，學校在文武町，出門就是總督府，總督府大你們不到四十歲，卻給人垂垂老矣之感，你們從不考慮的以為它起碼有一兩百年歷史，有時又以為它是父輩隨來的國府蓋的。

走過時而停滿了交通車黑頭車、時而空曠的府前廣場，就是本町書街了，通常你們都無暇一顧，尤其幽黯陰涼如中藥行的老書局毋寧更像你們才急欲逃脫的國文課、歷史課。

你們通常坐火車，坐在門口梯階上，毫無所覺的擋人路，上上下下的怎麼那麼多買菜的婦人。火車走的是城市最醜陋的一面，家家都說好了似的賭氣把後門、違建、公廁、菜圃、垃圾堆面朝它，起著濃濃的農村味，儘管行經的是舊日最繁華的建成町、御成町、蓬萊町。

你們有時在宮ノ下下車，話若說過了頭便在士林下，宮ノ下駅的小車站類同於沿線的其他小站。十年後沒拆建的大約都多少被用來拍過咖啡廣告和政府宣揚經濟成果的短片，它們通常在月台和站房前的空地上鋪滿有異香的朝鮮草坪，其上植著南國印象的冶豔小花，例如各種顏色的馬齒莧、馬纓丹、有毒的射干和長春花，有時還試圖種著根本不可能開花的芍藥、牡丹，同樣勉強的還有南洋杉、羅漢松，當

這類溫帶植物被襯著粉白牆和上了瀝青的杉木站房時，便能撫慰很多想念故國的征人。

為了同樣的理由，他們曾在戰爭期間發起種植一萬棵櫻花運動，希望島國人民能跟他們一樣愛上那花特有的絕美慘烈，他們在草山、霧社、南方澳大量種植吉野櫻、大島櫻、八重櫻、緋寒櫻，這車站照例便有一棵緋寒櫻，除了農曆年左右草草開花一星期，平日都蒼白瑟索缺乏自信的自閉在一排船桅似的檳榔樹下，是的，定有檳榔樹，如同征人們上個世紀末的一幀照片；幾株剪影般迎風招搖的樹姿間，一輛緩緩行經的牛車，照片角上的題字是「南國の印象」，叫人好想黃昏浴罷穿著浴衣木屐納涼其中。

不能不有檳榔，凡是在大正、昭和初期建造的公學校、郵便局、公家機關、教會都有檳榔，或起碼也有樹態風情相近的蒲葵、大王椰、海棗類，不是嗎，你曾念過的世紀初第五年就建校的小學，危樓教室前就種著十來棵蒲葵，你隱約也感覺學校的古老，不然何以一下課就跑到榕樹下憑靈感擇一空地挖掘，相信挖到古物寶藏後一定能讓難海隅家無長物的父母發財。你非常有毅力的持續挖掘整個三年級，成果卻不怎麼令你滿意，只有幾片看不出年代的青花陶碗碎片，你陸續交給母親央她保管──那被幾十年的光腳丫踩磨出的黃泥土地好冰涼結實，那看來再美麗飽滿

的榕樹子剝開都有蟲，你只得用舌尖小心舔舔它無蟲部位的甜味，那用來做蒲扇的蒲葵樹刷刷刷的湧動聲好睏人、那亮綠光硬的蒲葵子太結實了，你用瓦片切它、用磚頭砸它、用牙齒啃它，急欲知道它珍藏著什麼——也不能不有海棗、台灣海棗，否則三百多年前那些漢子們如何得以遙望著長滿台灣海棗的海岸而喊出：「Ilha Formosa!」雖然據說這是他們東行以來所命名的第十二個美麗之島。

婆娑之洋，美麗之島。

你多麼想念在那即將待拆的幽黯紅磚大禮堂裡，數百名小學生大聲喊唱校歌：

「白露山、內湖陂是我們的好屏壁！」因為用喊的，失去旋律，那時你並不知道大正七年歐戰告終後，接任的第七任校長小堀吉平對這個七星郡內湖陂的公學校除了白露山以外一無所知，你也不知道更早的校長赤羽操來如此描述過「山紫水明の內湖」，你只耿耿在意最要好的班上兩個朋友放學都不跟你同路隊，沒辦法走出糾察隊的勢力範圍就一路玩回家，冬天出太陽的下午，比賽從田埂躍身縱入農人堆妥的稻草堆裡。你的一個好朋友在港墘路隊，一個在十四分，十四分路隊本來有差不多十個人，可是隨著高年級得留下課後補習，低年級中午就走人，十四分路隊竟只剩她一人！她告訴你從家到學校要走兩小時的山路，冬天時，天沒亮就得出門，兩小時，不都可以走到台北城了嗎？

後來你漸會看大人報紙，她晚來的日子，你都無心聽課，好害怕她是在白露山裡遇到壞人被強姦了，天啊十四分是哪裡！同樣天啊的還有東湖，聽說東湖走來也要兩小時以上，還有東湖的都是班上最晚繳學費的，往往學期一半了，每天因此被老師一頓好打的才繳，但是校慶運動大會時便不能沒有東湖的，你讀過的班級不時就有東湖的男生，他們都牛似的又黑又沉默，被老師大力打時都不流淚不叫痛，早晚會被老師這樣罵：「你吃啞巴藥了！」你同情極了他們，卻從沒跟其中一人戀愛過。

二十年內他們的田地沒賣掉的話，現在大約都是億萬富翁了。

＊穿過林投與黃槿，便是海

二十幾年後的一場忘了原因的大醉裡，你趴在黑暗無聲的臥室裡，兩眼失焦卻神志再不可能清明的看著你們十七歲、穿著校服背著書包的身影，驚險的橫過一個農家養滿了雞鴨的後院絲瓜棚（因為都不會說台語，害怕屆時無法向屋主辯解你們的瓜田李下只是借路），腳下這時已是黃軟的細沙地，緩坡顯得難走，開滿了大花的髒兮兮黃槿擋掉了飄了一會兒的冷毛雨，還沒換季的短袖校服也不覺冷，那時候

不都是這樣嗎，也不覺冷，也不覺熱，也不覺餓，只要心滿滿滿的。

你們便心滿滿滿的穿過黃槿，行過林投與瓊麻間，有時被它們鋸子一樣的刃葉給劃傷，也不覺痛，其中的瓊麻有的從心中抽出一柱高有兩三公尺、綴滿大白咕嘟花的花柱，海平面隱約不遠，因此那花柱也給襯得船桅一樣，與整整一百年前的加拿大安大略省人馬偕初抵此時所看到的情景無異。

穿過林投與黃槿便是海，你們謹記著Ａ的某名男友第一次帶你們走那祕密通道時再三重複的口訣，只因夏日結束的海邊重又被海防駐軍管制，只有那麼走才能躲過守軍碉堡的瞭望。你們並不知道八十八年前的同一天同一個時辰，法軍在同一地點發動攻擊，以船炮掩護八百名陸戰隊登陸沙崙，守軍在沿岸臨時堆砌的城岸上以射擊誘敵深入，法軍果然進入長滿林投與黃槿的密林，無法施展機槍火炮的優勢，只得與守軍揮刀白刃。你們熟讀明清歷史為了考試，你們知曉道光年間開始的每一大小戰役和條約，惟不記得這場林投黃槿密林的生死惡鬥及輸贏。

並不像八十八年前的法軍亡魂們迷失於此，你們在他們充滿羨慕的注視下輕易的穿過林投與黃槿。

大多數時候只有你們兩人同來，開著紫花平鋪於地的馬鞍藤盡頭便是海，明灰色的海，海天交接處因水氣顯得迷離，你們早已淋濕透了，並肩走在沙灘上，心裡

古都

190

各唱著心愛的歌，各自跌入喜愛的某部電影中的類似場景，因此和你們言語激楚全無交集，誰叫你們一直以為眼前的大海是全世界第一大洋，因此和數百年前那些海寇冒險家一樣對之充滿無限想像。

壓到眉睫的雲天通常讓人想到《雷恩的女兒》，再晚十年，就得想的是《法國中尉的女人》，是沉鬱、壓抑、內裡卻波濤洶湧的英國，與夏天的海灘完全不同。

夏天的海灘，尤其是日落之後，充滿了鹽分的海風吹得人著魔似的無法離開，餘熱的沙地溫存著你，四周流盪著樂聲，有時是真的，是尚未離去的遊人帶著手提錄音機的樂聲被海風吹得有一下沒一下懶極了，若不巧放的是 Frankie Avalon 唱的《Why》就再好不過，當年錯過的人二十年後可以在電影《牯嶺街少年殺人事件》中反覆聽到，總之，這些個因素加一起，若再有勤快的拾了浮木生了野火一堆，便教人好想有個男孩在身邊，兩人不顧形跡的躺在沙灘上，他把你擁抱得好溫暖好安全，於是你甘心如此甜蜜的變成一個女人，不管他是誰。

你看看身畔的 A，奇怪這一類的幻想對象從來沒有過是她。

海天一色的讓你們不辨方向的往往不知不覺就走到公司田溪口，被阻攔了，才回頭，於是照眼便會看到觀音山了。天氣再好時，山頂常常有雲靉，風強的時候，雲走得疾，就很像觀音靜靜的在練吐納。那時的山上沒什麼人家，只山腰上一戶農

家夜黯了上燈，像觀音盈盈的一滴珠淚寂寞的流至腮頰，如同你忘了原因的一場大醉的那個夜晚。

你冷靜自持的聽Ａ說這說那，說她那些男孩子們，毫不在意，只除了宋，不能說宋，一說你就立時感覺到那濕冷的衣衫直透脊梁，然後一顆心，小拳頭似的緊縮成小小小小一顆孤懸在那兒，誰也解救不了。

秋天的海灘上一個人影也沒有，你對往來絡繹的亡魂們都視而不見，包括早一兩年冬泳被鯊魚吞噬的，包括幾年後在興化店救人喪生的，包括你自己的。

＊清人得台、廷議欲墟其地

感覺有一點秋天味道的時候，你們便只乘到宮ノ下駅下車，搭公車的話便到劍潭──劍潭在北淡大浪泵社二里許，番划艋舺以入，水甚闊，有樹名茄冬，高聳障天，大可數抱，崎於潭岸，相傳荷蘭人插劍於樹，生皮合劍在其內，因以為名──當然你對劍潭所知全非如此，你五歲時，穿戴整齊的由父母第一次帶你去動物園兒童樂園，下了公共汽車，你哪兒都不想去，眼前現成一個又大又繁華的嘉年華廣場，其歡樂氣氛勝過三十年後你帶女兒去過的迪斯耐樂園所全力營造的，只覺滿

天都是五彩氣球和吹泡泡和音樂，各式各樣小吃攤的香味和叫賣，幾個大看板遮住了整個圓山山頭，看板想來挺素樸，沒什麼圖案只有大字幾枚，做廣告的是當時僅有的幾家民族工業如大同電扇或白花油或達新牌雨衣或政府的一些砥礪口號之類，幾個票亭似的小屋掛滿了現在想來廉價難看的玩具，難怪當時父母不願意買給你。

其後兩三年，山上清除神社遺跡，建起中國宮殿飯店，專門用來接待國賓，山下的違建因此被清除一空，好像馬戲團班子表演結束一夕遷移他地，要到二十年後你旅行開羅，坐在冷氣充足的觀光巴士裡，發現塞車的街頭有好多販賣醜透了的零食、塑膠玩具、不明物、簡直不知什麼人會去買的亭子，你看到一對深膚巨眼的年輕父母牽著小孩在認真的餵老闆這個多少錢，你又駭異又恍然大悟，原來他們遷徙到這兒來了，你臉貼在窗玻璃上，留戀不已。

一點點秋天的味道，你們那時誰也沒離開過這連冬天也不肯下雪的小島，如何知道秋天該是什麼味道。

農曆九月菊有英、芙蓉冷、漢宮秋毛、菱荷化為衣、橙橘登、山藥乳，不，絕不是因為菊花木樨、芙蓉冷（如果你父親是外省人），不是紫藤羅漢松（若你祖上是國語家庭），更不是芙蓉樹蘭（如果你父親是本省人），不是油加利麵包樹（若祖上曾代表皇軍出征南洋甚至澳洲）……秋天的時候，你們一站在十川嘉太郎設計的

明治橋上就知道，只覺那風從很遠很遠不知哪裡長長的吹過來，真真愁煞人也，晴天的話，天就顯得格外曠遠，心情灰色的時候，便有人會想起日前剛讀過的詩句或某個哲人的聰明語，你們便因此言語鑿空，足可證明海島確有秋天。

此外還能證明的便是夾道而去的楓香，儘管它們只肯焦黃絕不嫣紅，可以了，你們走在世紀初便建成的敕使街道上，幻想置身在新英格蘭十三州，誰叫前行不遠便是美軍顧問團宿舍，五〇年代好萊塢電影裡典型的白牆大窗煙囪綠草坪，誰叫路上三不五時就有休假中的美軍，看到你們還會紳士風度的寒暄兩句，誰叫你們有幾人正著迷於電視影集《Peyton Place》小城風雨，不閒蕩的放學日子，回家準時可以收看得到，漏看幾集也不打緊，因為已經播了兩年多，劇情毫無進展的你從十四五歲都長到十七歲了，你並不著稍後才走紅的雷恩・歐尼爾，你隱約覺得自己比較像劇中那個一心想離開小城到波士頓、到紐約去圓作家夢的米亞・法羅所飾名叫艾莉的女孩，你覺得自己毫無道理一意想離開生長地方的心情與她像透了。

儘管楓香不紅，你們依然懷著秋天的心情走到樂馬飯店，就得過對角線的街了，樂馬飯店門前往往站著好多在等計程車的美國大兵，你不好多看飯店的立面為什麼浮雕著兩個小貝比在吃狗奶，差不多要到二十年後，你念希臘羅馬神話給女兒聽時，才恍然那是羅馬城緣起的神話故事，所以樂馬的原名是羅馬。

樂馬的對角線是敦煌書店，你們都不進去，不僅僅它，另還有金山書店、林口圖書公司也都是只賣原文書，你們只覺那是租界區，華人與狗不得進入，租界區還有聖多福教堂旁的那幾家明顯專賣給老外的東方藝品店，租界區還有晴光市場，還有福利麵包，還有美而廉，還有美琪飯店，還有夢咖啡，還有飛虎遺孀陳香梅的CAT，還有圓桌，還有嘉新大樓前的噴水池。

有次A為了買一條據說是PX流出的真正的Levi's牛仔褲而進過晴光市場，裡面迷宮一樣，你覺得所見到的每一個女人都是酒吧女，便來不及賦予同情的睜大眼晴研究她們，吃驚她們長得如此平凡，而且都好愛吃米粉湯和大腸肝連肉。你們也一定進福利麵包店，翻譯小說才能看到的糕點糖果，讓你們有置身異國之感，例如年末時的聖誕布丁、加了奇怪香料的麵包、豐盛的肉類製品和牛油、各種果醬、紅茶……足供你們幻想一種十倍於你們國民所得的生活，雖然你們的零用錢往往在買了一顆含堅果的巧克力便告傾家蕩產，難怪你們其中一人會說，發誓我將來賺了第一筆薪水要來買個夠。

奇怪這一切，完全無涉於民族主義。

該年底，日本就快與你們斷交了，政府各種為圖安定人心的口號紛紛出籠，你們被說動了，決定在一次班會上發起捐獻，你捐出了一顆巧克力糖的錢，你們還發

動捐血寫血書，做公共服務例如從學校門口起掃街並協助指揮交通，不過後兩樣都被導師阻止打消了。

只捐出了一顆巧克力著實讓你們的精力和愛國心無處發洩，於是你隨Ａ去大學裡找她的男朋友們，輕易的也割破手指頭貢獻了一大幅白布血書中的某個字的一勾，你們且熱血澎湃的隨他們趕快聚集在學校的福利社，那老舊陰涼可能是日治時代留下的倉庫建築給你一種好想趕快長大的感覺，可能是窗上爬滿了你以為叫常春藤的爬牆虎，可能是四周高大似溫帶國家的白千層樹，空氣也溫帶國家似的又涼又乾，你注意到其中一名有點像雷恩‧歐尼爾的男生不時偷偷打量你，你靜靜的一笑，沒來由的同情他。

但奇怪這些與真實的生活全不衝突，你們仍然走在租界區，看著白膚高鼻的人繼續以鴉片戰爭之後的列強姿態抄著一名你們的女同胞，邊走邊搔得她怪叫連連，你們未有異樣之感，似乎忘了曾貢獻一些血的那幅血書上所控訴所抗議的。

不衝突的大大不只這二。

二十年後，同一個日子同一個晚上，你和丈夫參加一個號稱十萬人的聚會，你完全想不起來這麼好大一個足球場是哪來的，未建之前原是哪裡。困惑的不只這些二，你本來只是想去捐些款，略盡能否把執政黨藉此拉下台的綿薄之力，像血書上

的那一字的那一勾，後來當然你們出不去了，最重要的，你結婚近二十年的丈夫決計不會走了，你看到他與周遭幾萬張模糊但表情一致的群眾的臉，隨著聚光燈下的演說者一陣呼喊一陣鼓掌，陌生極了，終於有名助講員說了類似你這種省籍的人應該趕快離開這裡去中國之類的話，你丈夫亂中匆忙望你一眼，好像擔心你會被周圍的人認出並被驅離似的。

當晚，你丈夫亢奮未歇的積極向你，用異於平常的動作和節奏，你被撥弄著，黑裡仍然不肯掉眼淚，好多年了你都不肯掉眼淚，因為眼淚太鹹了，汗也好鹹，從什麼時候開始，身上逐漸釀成一股陌生但不好聞的氣味，起初以為是生過小孩的緣故，從醫院住了一星期回家，帶著醫院裡清爽乾淨的消毒水、Baby oil、藥香、奶香混成的好味道，好味道沒多久就不再有了，初次你發現了陌生的味道緊釘你不去，你趕忙努力重拾以前的洗髮精、香皂、洗衣粉……二十幾年的味道再也沒有了，跟了二十幾年你不知道的體味卻在消失之後你才知道，只剩下可以輕易結晶成鹽的鹹味，肯定與海的鹽分不同分子結構的髒兮兮鹹味，別的無法避免無法改變例如體液和汗水，但淚，是絕不肯流了。

不得不令人想到天人五衰，耳不聰，目不明，嗅覺不靈，神色枯槁，連華美的衣裳也蒙塵埃。

因為不肯承認耳不聰目不明，於是投票日次日的那個額外假日，你決定獨自去一趟白天的足球場，因為非常驚愕如何可能想不起原先那是哪裡，儘管你長年居住城東，二十年來未曾須與離開過此海島。

你像十七歲時的尋常一個冬日下午在劍潭下車，除了缺了一起蹺課的友伴，不然那撲面而來的空氣和深秋的味道真動人呢，你幾乎對那更高更綠的樹們說，好久不見，隨即忍住驚駭不去看那醜怪龐大到極點的捷運車站，它徹底破壞了天際線！你十七歲時的天空，與四千多年前沿著淡水河來此漁獵農耕的先民所看到的相去不大，與三百三十年前某暗夜溯河而上並首次發現凱達格蘭人的西班牙人所見無異。它和它新建好的捷運鐵路們破壞了所有可能的想像，原址那條世紀初建妥的鐵路，好一長段與紅磚人行道平行不遠，你做行人時，老忍著想揮手的衝動目送火車而去，羨慕其中的旅人好像他們正要遠行，沒車時，寂靜的鐵軌也好平易近人，隨時可跨越，隨時可臥軌，鐵道那一頭平疇四野，與一百二十年前郊拚落敗逃來的同安人所見差不多，雖然看不到河，但知道河就在那不遠處，隨時可以順流出海，教人心生遠意。

你簡直不明白為什麼打那時候起就從不停止的老有遠意、老想遠行、遠走高飛，其實你不曾有超過一個月以上時間的離開過這海島，像島夷海寇們常幹的事。

好些年了，你甚至得時時把這個城市的某一部分、某一段路、某一街景幻想成某些一個你去過或從未去過的城市，你才過得下去，就像很多男人，必須把不管感情好壞的妻子幻想成某個女人，才能做得了男女之事。

你從未試圖整理過這種感覺，你也不敢對任何人說，尤其在這動不動老有人要檢查你們愛不愛這裡，甚至要你們不喜歡這裡的就要走快走的時候。

要走快走，或滾回哪哪哪，彷彿你們大有地方可去大有地方可住，只是死皮賴臉不去似的。

……

有那樣一個地方嗎？

＊不必登岸，不必薙髮，不必易衣冠，稱臣入貢可也

——秀男曾在四條大橋上見過不知是「千重子化身的苗子」，還是「苗子化身的千重子」，因此他想到四條大橋走走，於是就朝那邊走去。烈日當頭，十分炎熱，秀男憑依在橋欄杆上，閉上眼睛，想傾聽那幾乎聽不見的潺潺流水聲，而不是人潮或電車的轟轟作響——

與秀男不同的，你站在附近大樓頂電子螢幕顯示 4°C 寒風中的四條橋上，俯望著鴨川畔一對對不怕凍的情侶，彷彿從未離開過。

惟令人難以決定的是，你的下午茶要到高島屋地下一樓的 Fauchon，還是高台寺參道口旁的洛匠。Fauchon 的午茶，一塊英式鬆餅和一盅當店的熱咖啡或紅茶，五百 yen，其間無論日圓暴走或暴跌，數年不變，你非常想念那沒幾個座位因此常得排長龍的咖啡座，常有穿戴考究六十歲以上的老夫妻在那兒進行某種儀式般的莊嚴用餐，低聲交談，表情舉止不像一般日本老人，你幾乎肯定他們大約是青年鄧小平的留法同學們。

但你更想念洛匠的蕨涼糕，只好往祇園走去。橋頭化緣的行腳僧仍凝立著，不知是不是同一人，穿得與夏天時的裝束一樣，你都不給他錢，從來不。

南座的戲碼仍是坂東玉三郎，因此不用看，綠燈已閃了幾下，你突然決定趕過街，看看上回正鋪石板路的白川南通。白川南通平行四條，是你和女兒一次尾隨出客的藝妓時行過，在台灣的話，一定正好用來傾倒垃圾廢水，眼前寬不過兩公尺深不及半尺的川裡卻養著錦鯉，兩岸植柳和垂櫻，店家於是把景觀調到這一頭，隨陽光強弱打起或放下竹簾，你告訴女兒，江南就是這個樣子。你哪兒去過江南。

石板路鋪好了，要不是上次你親眼見它正施工中，會以為這條路與東山那些清水三年坂二年坂一樣有百年歷史。你曾經把與女兒在白川某小橋上的合照寄給Ａ，回應她幾年前給你而你未回的聖誕卡。

和很多人一樣，發誓永不分開永不嫁娶的你和Ａ，離開大學再沒見過，最後一次見到Ａ是在大學畢業典禮結束後的遊園，你們身邊各有家人和男伴，Ａ向男伴介紹你，邊匆匆掃過你男伴一眼，你不知Ａ想的和你一不一樣：噢，原來你離開了就是為了這麼一個人。

寄行李的時候，旅店經理曾告訴你今年反常的冷，花期可能會延後一星期，難怪石板小路顯得如此淒冷，垂櫻楊柳礦灰色的枝條毫無生意，儘管如此，社區店家已獻了燈獻了大甕的酒，路燈桿上也斜插了桃紅柳綠，幾株較老較大的垂櫻下也已牽來了電線照明燈且擺妥了角度。

你不知Ａ在想什麼，二十年沒回過台灣，研究的卻是台灣，這回為了交一篇論文要跑一趟日本，輾轉聽人說起你此段時間會來，便託人傳真給你，簡單交代要你替她訂旅館，而且頂好能與高中時一樣共寢一室抵足而眠，其餘見面再聊。

為此，你沒帶女兒，也未邀丈夫同行。

走在通往清本町的巽橋上，馬上你就後悔了，因為陰冷而提早上燈的地燈把

201　古都

清澈的水面照得極清楚，魚們逆水停著，一動都不動，愛魚的女兒在的話，一定會

細心的掏出早餐預留的麵包餵魚吧。你清楚記得第一次帶女兒來此時，女兒才會說

話不久，不解魚事，看到魚兒爭食便大為緊張的搖著手掌大聲喝止：「魚兒，ㄅㄞ

ㄅㄞ 打架！」ㄅㄞ ㄅㄞ 本是台語「不要」的發音，丈夫教她的台語只剩這一句。洗把臉

吧，「ㄅㄞㄅㄞ！」強迫她孔融讓梨，「ㄅㄞㄅㄞ！」該睡覺了，「ㄅㄞㄅㄞ！」女兒就要小

學畢業了，這些年與洛匠庭園裡的數隻大錦鯉們結成好友，要你這次代她摸摸日本

國旗那隻，日本國旗錦鯉通身雪白，只大頭上一丸紅，爭食特慢，女兒注意到，每

想辦法把其他魚用手撥開，另手餵牠，摸摸魚頭，牠也不走。

你好幾次坐在室內喝咖啡，隔窗看她蹲踞在池邊，因太過熱心餵魚，整個人俯

身水面只剩個穿著小花內褲的屁股蹶朝天。

你不由加緊腳步並決定走捷徑，彷彿只要夜黯前趕到洛匠，你仍可以看到五歲

時蹲踞池邊餵魚摸魚的女兒。

拾級上八坂神社，神社境內幽黯無人，樹潮森森湧動，你提醒自己並非在台

灣，便放心穿越，不忘神前匆匆參拜祈福，擲一枚銅板，拍拍手，神明請醒來聽你

心事，你合掌閉目，但願此行不致是一場災難。

——春天和熙的斜陽柔和的照在古老招牌的舊金字上，反而給人一種寂寞的感

覺，店鋪那幅厚布門簾，也已經褪色發白，露出了粗縫線。唉，平安神宮的緋色垂櫻正競相吐豔，我的心卻如此寂寞……千重子暗想。——

為什麼會想到「災難」這個詞呢？

除了魯莽和以往一樣，你簡直不知A在想什麼，最後一次接到A的信息是她寄來的一張西式婚禮卡，上印著與某某某（你試圖拼出可能的中文名字）於某月某日在新澤西州的某郡某教堂結婚，那是A在法律上的第一次與人共同生活。你甚至不知道她目前是否還在婚姻狀態，當然這些都與隱約的災難感無關。

那不然是什麼呢？你把咖啡趁涼前喝完，仍打呵欠，早上的一場折騰、中午三小時的飛行、傍晚低溫加上低血壓，不須照鏡子，你清楚看到自己的模樣，冰風造出的細紋在原本上妝甚佳的白瓷臉上冰紋一樣的展開，髮絲澀乾蓬亂，眼下暈黑，嘴唇發白或發紺，你沒有精力再瘋狂，你每天得睡飽九小時，服三種維他命丸和深海魚油和貝塔胡蘿蔔素，你且勤於洗澡洗頭，害怕日復一日加深的鹹味被人嗅出，你不知道A變成什麼模樣，她足有發胖的條件，一米七平肩的骨架加上二十年的美式飲食習慣，可以掛上好多斤肉。

你再無法如十七歲時一樣，結伴出遊外宿數日甚至可以不帶任何行李鹽洗用具，你們常常約了在公路局東站或西站見，兩手空空只拿一本詩集或其實讀不懂的

叔本華，少少的盤纏塞在牛仔褲臀袋裡。奇怪那時好像必要時不用洗臉刷牙，甚至不用洗澡，一覺起來好漢一條，眼睛發亮，口氣清新，如何亂吃都無法長肉。

儘管因此你猶豫了好久該不該照A要求的共寢一室預訂一間 twin，你不能想像必須在僅容旋馬的狹小日式商務旅館裡與A相對好些個夜晚，你不能面對必定會留在浴室裡的鹹味和毛髮，當然更沒辦法接受肯定A也已出現的體味，你一定會背對著她睡，夢裡也要小心睡著，不可囈語不可亂做夢，以往的貓咪呼嚕也許不見增大，但比較像是鬆了某顆螺絲釘零件欠修理的機器，鬆鬆的震動，內含金屬聲。

A的鼾聲一定變得好大。

你從來沒有存念頭與A還有見面的一天。A出國之後的讀書就業一直不脫Peyton Place 艾莉來來去去的那些小城，頭幾年，她給你寄過楓葉，辣椒紅玫瑰紅的美麗楓葉，可是真大，大到必須用十六開的封套郵寄，你竟有些失望，因為真的太大了，與你曾隨意的幻想非常不同，但你仍收藏好，一直到女兒上小學有收集標本的功課時，你大方的全捐給她，十年了，鮮麗依舊，塑料或緞帶做的一樣。女兒也很驚訝怎麼葉子那麼大，可以遮住她整個臉，和她好些個秋天來此撿拾收藏的纖細的高雄楓不同，也和她在島上撿過的楓香不同。

女兒忽大忽小、殘疾之姿的字跡在標本下寫著，楓香，金縷梅科……

你懊悔非常，為什麼會在寶貴的假期選擇與Ａ見面而捨棄女兒？

——路程很遠，但是千重子和真一決定躲開電車道，從南禪寺那邊繞遠路走，穿越知恩院後面，通過圓山公園，踏著幽雅的小路，來到清水寺前，這時，恰好天空披上了一層春天的晚霞——

你結了帳，老闆娘姊妹倆提醒你穿妥外套再出門，好冷呀，親切得不知道是否記得你。你都沒有替女兒摸國旗魚，因為門窗緊閉且下了厚簾子。斜對不遠的文の助茶屋的大黑天燈籠已上燈，門前仍有幾名不怕冷的遊人在排隊待位。你從沒進去過，可能因為每次行此都必定想起蹲踞洛匠池畔熱心餵魚餵得屁股朝天的五歲女兒吧，儘管每思念女兒的同時，女兒根本就在身邊。

你決定與真一和千重子逆向而行，從西行庵、菊溪亭的巷子左轉東大谷祖廟前攔腰進圓山公園，那條路上的大貓咪最多。

與女兒不同的是，你第一次來圓山公園時很驚訝他們怎麼公然用了你們圓山的名字。女兒卻在一次幼稚園戶外教學去圓山河濱公園回家後問你，奇怪怎麼學人家日本人的地名呢。你突然迷惑起來不能回答，丈夫笑女兒數典忘祖。

公園中心的那百年枝垂櫻仍在蓓蕾堅硬的階段，因此你像很多不死心的夜遊人一樣，買了一罐滾燙的飲料握著取暖，不忍離去。

大垂櫻像一株未抽芽的垂柳，聚光燈早已打好，只等它醒來。曾經某一年春天，你和女兒在靠坂本龍馬和中岡慎太郎雕像那隅的櫻花樹下席地謔飲，那盛開的百年老垂櫻遠遠仍望得見，被聚光燈烘托得浮在高空中、煙火停格一般，也像劇毒美麗的水母，不敢多看，害怕成精怪的它會攝人魂魄。

你邊吃喝邊講坂本龍馬和中岡慎太郎的事蹟給女兒聽，白日裡，你們且曾尋著龍馬在京城裡的活動路線例如三年坂近清水坂巷口的茶屋，昔年龍馬與幕末志士們祕密開會的地點，高居東山三十六峰之一，可遙望二條的將軍幕府城門一開警備組要來逮人了，志士們情急常翻窗跳走；行經三條河原町，路邊有石碑上刻字：坂本龍馬、中岡慎太郎遭難之地；而龍馬的墓在二年坂臨靈山觀音上坡不遠處，女兒在那兒撿拾過一枚摩斯拉似的大蟲繭，印象太深了，後來每回走在三年坂二年坂就開始催促你要去龍馬墓前看看可有大蟲繭，因為你老愛立在二年坂口的竹久夢二寓居舊跡門前眺望腳下的市井閭弄，遲遲不捨離開。

其實你對坂本龍馬哪有什麼特殊情感，就如同有次要回那政爭慘烈醜陋的海島的前一天，你有感而發跟女兒講起西鄉隆盛的事蹟，明治天皇與西鄉隆盛，政敵可如此相待，像康熙皇帝的理解鄭成功：明室遺臣，非朕之亂臣賊子。

小學二年級的女兒，聽了好動容。

……

土番狉榛，未知耕稼，射飛逐走，以養以生，猶是圖騰之人爾。

首先西班牙人荷蘭人如此描述台北：草莽瘴濃，居者多病。

康熙台北湖。

其後，來採硫礦的郁永河在《裨海紀遊》形容台北：非人所居。但那早在一六九七年，不能怪他，同時期的嘉南平原乘牛車行經其間，如在地底（多令人神往！）。

康熙末年，隨軍來台平朱一貴亂的藍鼎元說：台人平居好亂，既平復起。

連沈葆楨也說：台北瘴癘地。

李鴻章：鳥不語，花不香，男無情，女無義。

……

你真不想回去呀。

不滿那地方的，不自你始。

——「千重子，咱們乾脆把這家批發店賣掉，搬到西陣去好啦，再不然，就到寂靜的南禪寺或岡崎一帶找間小屋住下，咱倆設計一張和服和腰帶圖案好不好？」——

你想起那趟大選日後的未竟之旅，你走到圓山，只見空中地條條是路，你迷失其間，不知該如何走到你十七歲時走過百遍的路。明治橋——你後來知道它原來叫明治橋，橋上的銅燈早在一場拆建時給李梅樹買了放置在三峽的祖師廟了。平直美麗的橋被一座新橋壓著待拆毀，批評以往是外來政權的新統治者人馬已執政四年，所作所為與外來政權一樣，只打算暫時落腳隨時走人似的，不然他們何以去掉那兩排在你們所有現存的人出生前就已在著的楓香呢？難怪你幾乎忘了原本濃蔭中若隱若現的招牌：Fortuneteller，那是當時初中學生的你學會二十六個字母後所學的第一個長單字，你曾經立過小小的心願，長大有一天要去那兒算命，從不加思索的固執以為圍牆裡是個神祕美豔的吉甫賽女人，會用水晶球為你解開宇宙大祕密。

兒童樂園居然還在，深秋的蕭條之感不知尚有營運否，你很想入園，假使那充滿了尿騷和腐爛朽木的龍船還在，你一定能看到船上那一個為了傾身觸水而內褲朝天的五歲時的自己，你不知道去過多少迪斯耐樂園的女兒肯不肯跟你來這裡，來這個你與她同樣年紀時的樂園，你試著告訴她，在你們幼年的時代裡，它真的和迪斯耐樂園一樣好玩，不只如此，你曾經帶她遠遠的山勢定位，大約估算出原先的家可能在哪兒，在一家便利超商的門前花壇；你帶女兒去你們童年瘋野的山裡，吃驚它

被連綿的五六幢醜陋公寓給吞噬到僅剩一小山巔，幾步路就可輕易跨越它；你站在山丘崗徑上，指著高速公路的涵洞告訴女兒那是你們的埋狗之地。你想辦法重建那個秋日裡五節芒淹沒的原野和農人們焚草木的荒煙直上，和你惆悵極了的心境，奇怪狗都死在秋天。

消逝了的不只這些……

有一次你和友伴們在秋收後的田裡烤地瓜，地瓜偷挖自農家，引火的火柴輪流每人不辭勞苦的跑回村子偷自家裡，技術太差了，五、六盒自由牌火柴點光了，只燒掉一堆枯草，紅爍爍的地瓜仍好好的在坑底，百無聊賴起來，長日漫漫，你們決定往村子反方向無目的的亂走，愈走發現凌空而過的飛機異常的大，你們興奮極了，判斷田野盡頭應該是飛機場，一致決定要去那裡，走到那一百零一個飛機場，就等於出國了。出國，什麼意思？那隱約表示比起你們不時想挖條地道到美國去，飛機場是條捷徑多了。

你們走到後來都不再說話了，因為怎麼會那麼遠，有時要經過個大糞坑，有時得穿過有狗鬼叫的農家，有時甚至必須走鋼索似的通過絲瓜棚旁的半朽獨木橋……，要不是久久一架簡直快壓到你們頭上的飛機飛過因而鼓舞你們，你們簡直要放棄了，這時有那最小的跟屁蟲便說話發出哭包聲，你們不准他哭，害怕士氣從此

瓦解，哭聲到底引來遠處幾名小孩，其中有一人竟是你的同班同學，坐倒數第二排，你們從沒說過一句話，路隊排在什麼鬼地方的北勢湖——天啊，難道走到北勢湖了？

同學家及其親族們家都開磚窯廠，野風曠地裡一堵堵已燒未燒的蟹紅灰青的磚牆堆，大好現成的殺手刀場地，你們當場兵分兩國，北勢湖國和精忠新村國，殺到天黑北勢湖國被罵回去吃飯才散。

你們回村後異口同聲向父母和大孩子說你們走到飛機場邊了。描述所看到的龐然大物，要不是基隆河的阻斷，你們就都出國了，真的，就差一米米，就差一滴，反覆強調，因為猜想他們可能都不相信。

北勢湖其後三十年，你在協助小學三年級的女兒做鄉土報告時，才又見到這個地名，北勢湖事關清末台北建城的材料，有說石材部分採掘大直北勢湖山的岩塊，磚瓦係北勢湖和枋寮庄的磚窯，石灰來自大稻埕河溝頭的石灰窯；但另一說是石材來自唭哩岸的安山岩，磚向廈門採購，黏石用紅毛土，就是糯米蒸混紅糖石灰，如同赤崁和其他古城的構成。

其後十年，日人拆城。

夢境一樣的北勢湖，再也沒去過的北勢湖。

日人跟清人一樣，不是「廷議欲墟其地」就是「一億元台灣賣卻論」。他們拆了北勢湖辛苦燒成的磚瓦，闢成三線道路，植上一五〇株（愛國西路）一〇〇株（信義路）南島遍見的茄冬和代表南國風情的檳榔椰子樹。

茄冬半世紀後長成綠色城牆，是你們女校與男校最常議和的楚河漢界，你和A就常跟他們約在那裡見，開闊的安全島上鋪著紅磚，有繞樹一匝的白鐵椅，再亮的路燈也穿透不了濃密的樹蔭，便於男生們抽菸，便於你們躲過跟蹤而來的好事教官，大多數時候是男生拿書或新出的校刊給你們或相反，你們以高出對待教科書數倍的熱情背誦著艱澀的句子並甘之如飴，告別時候不忘敲定該月末的班與班的郊遊。

那時候的車真少，整個晚上男孩把你熱情擁抱並試著探索你的身體都不虞被車燈曝光，你沒意見的合作著，希望男孩趕快告一段落恢復正常，你好回夜讀教室把第二天要考的歷史給背完。汗水體熱和茄冬樹的樹味兒鮮烈一致，當場你不知神遊到哪兒去，男孩整好你的衣衫，替你肩起書包，眼裡閃著星芒，這一場，一定會被傳到A那裡，於是你放心了。

——千重子受到莫大的衝擊。她那麼喜歡到村子去，又那麼喜歡仰望那美麗的杉山。說不定是被父親的靈魂召喚的吧。另外據這位山村姑娘說，她是孿生兒。那

麼，難道這位親生父親在杉樹梢上還牽掛著被遺棄的雙生兒千重子，才不慎摔下來的？——

動過一億元賣台念頭的日人不只在北杉山植滿了樹，在南島上也努力遍植，不只是一年生的小花小草，還安然篤定的植下注定一世紀以後才會有點樣子的樹種，奇怪他們並沒打算吃乾抹淨就走人的樣子。

吃乾抹淨，你想起那個因反抗集權政府去國海外三十年不能回來的異議人士，時移勢易，他一旦當上縣長以後，照樣把南島最後一塊濕地挪作高污染高耗能源的重工業用地。

他跟他以往批判甚而欲推翻的外來政權做的一模一樣。不然何以他們敢如此做呢，當有一日你路過你們的綠色城牆，發現天啊那些茄冬又因為理直氣壯的開路理由一夕不見，你忽然大慟沮喪如同失了好友。

你簡直無法告訴女兒你們曾經在這城市生活過的痕跡，你住過的村子、你的埋狗之地、你練舞的舞蹈社、充滿了無限記憶的那些二票兩片的郊區電影院們、你和她爸爸第一次約會的地方、你和好友最喜歡去的咖啡館、你學生時常出沒的書店、你們剛結婚時租賃的新家……，甚至才不久前，女兒先後念過的兩家幼稚園（園址易主頻頻，目前是「鵝之鄉小吃店」），都不存在了……

這一切，一定和進步有勢不兩立的關係嗎？

太冷了，你回旅館正式辦 check in 手續，當下決定先住進單人房，等 A 真到了，再決定一起遷入雙人房或她另住單人房。

這個極其簡單的決定一掃你幾日來的猶豫焦慮，餓意立時湧上。

你依往常的習慣，先到新京極通的錦天滿宮合掌祈福，宮前掛滿了酒缸大的燈籠，不知供的什麼神。循宮正對著的錦小路，此時的錦小路，九成的店家都打烊了，尚亮燈的幾家魚鋪子正忙沖洗檯面走廊，見你行經仍口上響亮的喊聲「イラッシャイ！イラッシャイ！」招呼著。

你握緊錢夾加緊腳步顯得行色匆匆，彷彿是商社下班趕回家做晚餐的職業婦女。一直走到武田市小店，買兩雙過季名牌厚襪，天氣比往常冷，店裡仍點著煤油暖爐，漫著柴魚湯的香味。老闆夫婦的孫女好大了，擠在收銀台邊看電視邊做功課。當然令你想到女兒。

後半段的錦市場此時已寂靜無聲，你只好從柳馬場通穿回四條大街。很多地方可以吃飯，但你選了對街通常用來吃早餐的 Doutor 咖啡。

你點了一杯當日熱咖啡和一份高原熱狗三明治，臨窗的位置給占滿了，你只好

到裡間的大圓桌去。暖氣和煙霧使你心跳加快，不過也可能是以為會看到女兒做功課的背影。

女兒學期裡來的時候得帶功課以保持進度。旅館裡太擠了，常到這裡的大圓桌寫功課，你教她算術，教到三年級就不會了。你們不同的語言並沒引起同圓桌人的注意，或該說，並未引起他們任何異樣的表情，他們都練就一副見怪、不動聲色的面膜，因為人太多，空間太小，擠通勤電車，擠百貨公司，擠咖啡館，時時超過人與人之間堪忍受的距離界限，便都得練就漠無表情的面膜，面膜出門時與衣帽一起穿戴上，不然何以自處？

但你十分喜歡這種人不理我我不理人的狀態，其中想必有不少的精神病患也不讓你覺得危險，你技巧的打量衣冠楚楚的中年歐幾桑，嚴重於癮一身香奈兒的兩名年輕女子，金城武兄弟的上班族帥哥……，你啜口熱咖啡，莫名所以的暗暗說聲：

「タダイマ。」回來啦。

＊那兒有像數一樣高大的亞述國王、色彩鮮麗的埃及浮雕、巨大的國王雕像、真正的獅身人面像，就像個夢幻世界。

——佛洛伊德

古都

214

有一種天氣是你喜歡的，草木鮮烈，天空蔚藍，陽光炫目，而你恰巧在空調涼颼颼的室內、車內或咖啡館或臨窗的屋裡，便容易讓人失去現實感，以為外面也是如此的氣溫，冷，再加上反差極大的光影，就以為自己置身在某個你想去或曾去過的國度。

例如搭乘你曾誓死不搭的捷運，三層樓的車行高度，所有醜怪的五樓老舊公寓當場被削去大半，立時變回了平房的那個時代，天空因此大量的露出來，竟有曠遠之意，令你好久不曾有的想起原來這是一個海洋國家，而海就在那天際不遠處令人神往；有時車行攔腰穿過幾座盆地邊緣的小丘陵，你若成功的沒被其下的廢料場亂葬崗干擾，而只管被陽光翻飛的相思樹林，會教你立時想起深秋時的某地中海植滿橄欖樹的小島；有時車停某站，正凌駕於某失勢權貴但仍占住不走的深宅大院，那襯著海洋色天空的小笠原松會召喚起想辦法忽視赤道雨林味道的第倫桃叢不看，好多人少年時必定有過的金山海濱露營；但十幾層的大廈仍舊擋去天空遮住你的視野，陰鬱的天氣，車行在更顯灰敗無色的大樓與低矮違建之間穿梭而過時，你心底、你甚至以為別人心底也都會自然響起一段小喇叭樂聲，伍迪·艾倫在《安妮霍爾》中回憶他幼年住在高架橋下時的配樂，《Sleeping Lagoon》，情調相反於它的歌詞，赤道的月亮，沉睡的珊瑚礁，和你……奇怪為什麼會是一首描述熱帶島嶼的

這樣的經驗，愈來愈珍稀了，除了平日不得不的生活動線之外，你變得不願意亂跑，害怕發現類似整排百年茄冬不見的事，害怕發現一年到頭住滿了麻雀和綠繡眼的三十尺高的老樲樹一夕不見，立了好大看板，賣起一坪六十萬以上的名門宅第，它正對的金華街二四三巷一列五十年以上的桉樹也給口口聲聲愛這島愛這城的市長大人一夕給砍了，並很諷刺的當場種滿小樹的社區小公園。

你再也不願走過這些陌生的街巷道，如此，你能走的路愈來愈少了。

你走過羅斯福路一銀背後的晉江街一四五號，木門上對聯般的寫著：公有土地、禁止占用。第一次，你希望這個政府繼續保持低落的行政效率，無能無暇處理公產，就讓鳥兒和豐沛生長的樟樹大王椰占用下去吧。類此的美麗廢墟還有浦城街二二巷一號和七號（它們共同的隔鄰三號是國大圖書館書庫，但意義上與廢墟並無不同）、中山北路一段八三巷三十弄五條通華懋飯店的對門，占住者是香樟怪、九重葛精、芒果婆婆……，長春路二四九號，雀榕趴在牆頭，桑和大桉杵門前，隔鄰的二五一和二五三倒是被人占住，二五五號的絲瓜正黃花大開，此外尚有臨沂街六三巷十八號斜對門，構樹、榕、麵包樹三國鼎立，謙卑向隔的羅漢松，可以想像種植者寓居南國的曾經一個秋日的心情。

歌？

也有屋子一角被做過違建好久了，羅斯福路三段一四〇巷二號；也有被野貓仔們盤據，泰順街二六巷三號，三毛貓和花狸貓敢出來接受你的餵食，小黑貓咪貓頭鷹似的坐在暗處；也有房屋已塌了一半的剖面屋，可清楚看出昭和型家屋的建材和構成，如和平東路一段二四四號和潮州街一四三、一四五號；也有一整條巷子數十年如一日不變、護城河功能的用來隔離國民黨宣傳機關中廣中視，建國南路一段二一二巷，五九號住著一家狗，狗媽媽機警膽小，典型的雜種狗，但笑容可掬十分親人的麥色白色等五隻小奶狗卻照眼就知爸爸一定有秋田血統（此段文字絕無任何寓意）；四九號住一群鬼，五三號一家人，三七號一園小孩，再過去一家的占住者是你見過最技巧的占住者，無門牌無信箱，人耶狐耶？庭園裡修剪整齊的梔子柚子枇杷烏桕告訴你，種植花木者定是外省人狐。

也有屋子早荒朽成齏粉遭風吹眇只存庭園和圍牆門台，門台上，小型森林似的長著不灰不綠從恐龍時代就有的木賊，如師大路九二巷古莊公園正對的七號。

當然也有保存完好、至今仍有人居，可能是官家或傭人，或二者的後人居住著的，例如長安東路一段二十號，位在主後一九三七年奠基的基督長老教會後門的小蔣故居，圍牆外的牆根散發著夜夜在×條通飲讌的日人所遺的尿騷味；圍牆頭防盜鐵絲網上纏滿粉紅的珊瑚藤和川七的杭州南路一段七五號；有未戰死未失蹤的男主

人在終戰回來第一年種的巨大麵包樹如臨沂街六一巷九號；也有男主人種的是肯氏南洋杉的臨沂街四四巷一號；也有一樣從南洋回來卻選擇緬梔的泰安街三巷二號之一：也有一家你無從猜測身分、幅員面抵整排公寓的泰安街二巷三號，與它平行隔巷的銅山街六巷一號探出含笑和芒果好像你外公家的應該是浦城街二四巷十一號，很多人的老相簿裡都有那麼你外公家的黑白發黃照片；也有像瑞安街二六四巷二三號、泥地上騎三輪腳踏車載妹妹弟弟的黑白發黃照片；也有像瑞安街二六四巷二三號、七號和一號，你幼時看國聯電影公司拍的瓊瑤電影《菟絲花》裡女主角循址找尋位於羅斯福路的深宅大院應該是這裡比較對，要不唯一有可能的也該是青田街一一巷十號或九巷的四號和對門一號。

也有住者認真維護其原貌，沒用水泥糊了山牆上的牛眼窗或屋頂的老虎窗的，如仁愛路二段九一巷七號和九號、濟南路二段六二巷四號、仁愛路三段二四巷一弄七一號，他們甚至連植物都嚴格護持住，只種櫻和羅漢松和南洋杉，不讓鳥兒們四處播種的雀榕和大小葉桑衍生，有些完好如新生南路一段九七巷三四號、煉瓦、黑杉木壁襯一株羅漢松，活活一項某某流的花道作品，也像你在東山五條慣見的町屋，再大一些的話，就可用來做社區小型博物館如信濃大町的鹽の博物館。

但無論牛眼窗糊不糊掉、大葉桑小葉桑種或不種、川七摘是不摘來吃……這

些人家都有一個共通點，漆或不漆的木質大門上都用粉筆寫著：聯（聯合報）、央（中央日報）、聯央、聯國（中國時報）或國民（民生報），從來不見自（自立、自由）、不見台（台時、台日），整條巷子無一例外，不得不令人想到阿里巴巴四十大盜以門上記號作為日後殺或不殺的故事，有朝一日。

有朝一日，這些人家巷弄將被也愛台灣的新朝政府給有效率的收回產權並建成偷工減料的郵政宿舍、海關宿舍、××大學教師宿舍、首長官舍……，就如同除了五二巷之外的溫州街曾經的每一條巷弄，屆時你將再無路可走，無回憶可依憑，你何止不再走過而已，你記得一名與你身分相同的小說作者曾這樣寫過，「原來沒有親人死去的地方，是無法叫作故鄉的。」你並不像他如此苛求，你只謙畏的想問，一個不管以何為名（通常是繁榮進步偶或間以希望快樂）不打算保存人們生活痕跡的地方，不就等於一個陌生的城市？一個陌生的城市，何須特別教人珍視、愛惜、維護、認同……？

——除了如意峰外，還有金閣寺附近大北山的「左大文字」，松崎山的「妙法」、西賀茂明見山的「船形」、上嵯峨山的「牌坊形」等五座山相繼焚起火來。在約莫四十分鐘的焚火時間裡，市內的霓虹燈、廣告燈都一起熄滅了。千重子看見火光映照的山色和夜空，不由得感受到這是初秋了。——

一覺起來，大廈間振翼穿梭的烏鴉的啊啊喊聲，使你恍若在深山古剎，你的旅館房間臨窗正可遠眺東山，八月裡來的話，不需到鴨川的納涼床，晚上依窗喝著涼清酒就可看到如意峰上燃點的大文字送鬼篝火吧。

水沸了，你沖了一杯旅館供應的宇治綠茶袋，按開電視，一句也不懂的語言，混著茶香，是你深濃記憶裡氣味的一部分，有時還有百貨公司匯集的所有名牌香水味，有時是冷清清沒有半點食物跡象的和菓子老鋪所點的京香和煎茶香，有時是密閉空間如車廂咖啡館裡酷愛乾淨的男人女人身上所散發的皂香乳液古龍水，或甚至就是中央空調裡放置的芳香劑……整個城市上空盤桓不去的氣味，也許還得加上不能缺少的烏鴉味，令你，死前一定會想念吧，最熟悉的氣味。

你站在御旅所左轉寺町通口的丹波屋，猶豫不決該買哪一種麻糬，外裹滿小倉豆、滾滿黃豆粉的或餡子是小倉豆的綠色草餅？以往你都買六個一盒的，和女兒各吃三枚，走到哪兒吃到哪兒，伏見稻荷大社前的、七條京阪驛的、祇園繩手通口的……女兒不在，一定吃不完，只好等Ａ來再買了分食吧。

麩屋町通口，你決定過街去ＡＬＢＡ買幾把咖啡匙叉，盤算曾經讚美過你那彎刀造型的刀叉匙的有哪幾個人，此外，你終於決定買那一張義大利Taitu的大碟子，上面布滿了各式各樣落葉喬木秋天的葉子，圖鑑的畫法，你曾在志賀直哉故居巷口的

茶論咖啡館見老闆用同樣花色的小碟盛手工製餅乾，你看了好幾年，因為有點貴，回島上去時，島上難有秋天，那幾片秋色十足的葉子老會鮮明的浮在你眼前。

店員聽出你是異國人，格外仔細的替你包紮以免飛行途中打破。好久以來你沒這麼快樂過，有了這幾片不會改變、快樂的青剛櫟葉、毛栗葉、山毛櫸、橡樹葉、白楊赤楊葉……，回去以後的很多個冬天你都敢過了。

島上的冬天據描述是這般：十二月臘梅坼、茗花發、水仙負冰、梅青綻、山茶灼、雪花大出。

然而事實是，那日，省市長選後的次日，你正徘徊在蕭條的舊日兒童樂園前決定不了進不進園，倒發現榕鬚、薜荔、紗草夾纏下有一石碑，上刻大字：太古巢舊址。太古巢，台灣名儒陳維英頤神養生之地也。碑上大意說，陳維英（一八一一一八六九），清嘉慶年間生，大龍峒港仔墘人。博通群史，廣涉百家。咸豐九年中了舉人，做過閩縣教諭、內閣中書，歸台後主持仰山、學海兩所書院，弟子千餘人。五十歲時，陳維英遷入依山傍水的太古巢隱居。日據時代相傳，這是取「山靜如太古」之意。也有人說，太古巢最早是原住民的一個發源地名。較可信的說法則是，嘉慶、道光年間，該處原為「台哥寮」，也就是麻瘋病患的集中所，「台哥」台語發音正近似「太古」。陳維英死後，太古巢逐漸傾圮沒落。一九○六年，日人

221 古都

自其北端開山架橋，太古巢首當其衝，遂難逃拆毀的命運。

你望望身旁並肩在讀碑文的陳維英老鬼魂，說不出一句話。像是一則各種年老民族必定會有的那類寓言，你們曾經不具任何知識、歷史知識，與它愉悅自然的相處過活，待有一天你具備了了解它的知識，並略覺愧疚的重新善待它（雖然你以往對它也傾心相待），但它再也不一樣了，與過往不一樣了，這，難道又只是人或民族必定會有的中年懷舊？你不願意承認，相信陳維英也一樣，更相信此刻在你們腳底十八層地獄不見天日的明治橋也一樣，因為與救使街道同年歲的楓香不見了大半，美麗的宮ノ下參道變成長了無數腫瘤群醫束手的景象，醜透了，你帶著哀悼的心情走避，死去的，當然包括你的一部分。

同樣討厭的知識告訴你，原來憑空多出的那大足球場原址是一九二三年建的運動場，為了做歡迎還是太子的昭和南巡之用，國府初期給第七艦隊美軍顧問團使用，剛當選的市長在足球之夜描繪過未來市政藍圖，足球場也許作為巨蛋球場用地，屆時，你與更多的老年楓香都將加入陳維英隊伍了。

美琪飯店什麼時候成了上海商銀？

城市，銀行和嫖妓的基地，摩天大樓雜草式的亂長。設計帝國飯店的萊特（Frank Lloyd Wright）早說過。

古都

222

你像一個去國多年的人一樣，由衷的喟嘆著，奇怪想不起那一家接一家的婚紗攝影禮服公司原來是些什麼地方，卻見聖多福教堂老樣子的在那裡，鐵欄杆圍牆上掛著同樣匠氣的外銷油畫，老樣子的透過路樹的冬天光影仍把油畫染得變成風景不可少的一角，那曾是你們幻想走天涯的一部分，在路邊賣畫或演奏擅長的樂器。

這裡賣畫的人都是啞巴聽障（你們到很後來才想到可能他們僅只是賣畫人）。

當初那些發誓與你要浪跡天涯賣藝過活的好友們倒都全在國外，有的做賢妻良母，有的在電腦公司做高級主管，也有隨名廚老公加州一州一州的中國餐館過吉甫賽人的生活，也有像Ａ一去從沒回過國，另有每年暑假回國的，帶著的孩子與你女兒的語言不通，無法像上一代一樣變成好友很令你們失望。

你們吃頓飯，喝個下午茶，聊遍眼前事，獨獨不再提過往，過往很像那些被移植或砍掉的茄冬和楓香。

因此你都不願意和別人回憶過往，並非因為新的事情太多，新的店、新的偶像、新的醜聞、新的賺錢機會、新的誰誰老公的情人、新朝新貴……你猜想他們正因為能夠不記得曾經存在的，才能迅速與新的好壞事物相處無間吧。這你無法做到，你甚至半點不肯感慨「舊情綿綿」變成那樣，誠品變成芝麻婚紗，它們相較於過往對你來說都曾是太新的東西，你不願與它有任何關係，哪怕只是買本雜誌喝

223　古都

杯咖啡，因為那注定又將種下一場流逝的開端，否則你如何能全心慨嘆奇怪晴光市場要如何才能進入，你依稀記得的位置如今布滿了麥當勞佐丹奴三商巧福尼采精品或溫蒂 7-ELEVEN 米雪兒服飾 HANG TEN，你彷彿晉太元中武陵人捕魚為業……

——千重子一邊回想這些往事，一邊漫步在通往野宮的小路上。原來比較幽暗的地方如今明亮多了。門前的小賣店也揚起吆喝聲。然而，這《源氏物語》提到過的小小神社如今依然如故——

塊不太舊的路牌，上面寫著「通往竹林深處」幾個字。這條小路有

不僅依然如故，自從幾年前明仁天皇次子禮宮夫妻來植過樹後，香火更加鼎盛，全是祈良緣，你並無良緣可祈。過了鐵道，人跡仍少，可能太冷了，你早上看NHK的氣象報告，日中也只有攝氏五六度，因此櫻花可能會破往年紀錄的延後一星期，你不禁擔心A短短的假期會等不到櫻花正咲——天啊你晚上回旅館可能就會看到A，你但願她不會像很多去國多年的人一樣滿口英文，那樣會增加你們溝通的緊張度，你也希望A不要像大多數美國人那樣不修邊幅引人注目，當然你不能想像A穿得規規矩矩例如西裝式外套繫絲巾什麼的，你不知道她是短髮還長髮，你們這個年紀，頭髮如何精心整理通常只有兩種款式，短髮歐巴桑頭和長髮歐巴桑頭。

天啊你們真是好些年沒見了，A後來也不再寄相片給你，你最後一次寄給她就是與

女兒坐在祇園白川巽橋上的。你不免害怕，你們會坐在旅館大廳各一隅，互瞄個半天然後心裡喊著：老天難道我也像她一樣如此難認了嗎！

出了竹林，只是平常住家，向陽的庭園裡勉強有開坼之意的是很像梨花的透白的大島櫻。太冷了，料想沒有遊客，近落柿舍的人形藝品小賣店閉門未開，只店前鋪著紅氈的長木板凳未收，你決定從「去來之墓」那條路走去，記憶中，四月的某一個土曜或日曜日，清涼寺會有嵯峨大念佛狂言上演。

去來之墓在一片年紀至多八九十年的小杉林中，女兒常在林間摘採不知有毒沒毒的菇和野莓，也常有不怕人的野斑鳩，女兒就更不肯走了。

杉林前的田裡有時長滿了鵝黃色的油菜花，那種時候連田畔的桃花都開了；有時農人在焚草葉，焚草時落柿舍院裡的柿子樹通常葉已落盡，墨黑的枝幹上星星點點懸著落日紅的柿子，應該跟數百年前詩人芭蕉所見的景色無異吧……。你每次都忍不住立誓，若你家附近也有那麼一小片五十年不會改變的杉樹林，那麼女兒一輩子在其中終日廝混、不識字、不事生產……，你都絕對支持。

這會是一個非常嚴苛的心願嗎？

二尊院門前的竹器店倒是營業中，密閉玻璃屋生著暖暖的煤油爐，你不忘記替討厭日本人但覺得小耙子實在便利爬梳梳園藝的父親買了一支，店主可能見你嘴唇

凍得紫青，禮貌的說聲好冷呀，你聽得懂，但答不出，只好朝他傻笑。

二尊院到清涼寺的橫巷是你最喜歡的一條路，你且用拉鍊式走法，不放過繞進每一更小的巷弄。

除了四時的色調不同，每一戶人家都是恆久記憶中的那個樣子，泡沫經濟那幾年曾有比較大的變化，有些人家買了車，便把庭院一部分挪作車位，還好僅止於此。砌石牆的人家高處爬滿豐沛的常春藤、近山溝處則鋪滿了馬齒莧，你忍不住摘一瓣泛著澀澀霧光的肉質葉莖，冰涼肥厚的觸感很像女兒最愛跟你手牽手年紀時候的手指頭；院子大的人家，有在焚燒修研下的杉樹枝葉，馨烈的魔煙險些把你催眠不去，你仍得保持步履，不願前面不遠兩名雙頰凍紅各懷一孫在聊天的歐巴桑認出你只是遊客；臨著竹林土屏牆上長年懸飾著幾把乾蘆葦的大戶人家的秋田犬，老樣子只望著你，不吠；沒有一家的櫻花在堅硬蓓蕾以上的狀態，有花的話，也都只是海碗大的白木蓮和血紅的椿花，椿花往往開至盛極，整朵花連蒂栽倒於茸綠苔地，慘麗非常。

古都的大小寺廟神社不知多少，每個人獨鍾某寺某院都有不同的理由，你喜歡來這個有些旅遊書上甚至沒提及推介的清涼寺。

起先是基於同情的理由，這清涼寺如同它的名字一般不分四季都好蕭條冷清，

此外它本堂旁有一「秀賴首塚碑」，當日火燒大阪城，豐臣秀賴在天守閣自盡，遺體失蹤成謎，而今數十年前，附近女子學校與建宿舍，挖到慎重包裹良好的人首，根據包巾上的家徽圖樣判斷是秀賴首，便重新葬在清涼寺。清涼寺除了本堂和靈寶館參拜須付費外，境內自由無料，便見居民大門側門穿進穿出走捷徑，當然你也看過趕上課的大學男生持一盒鮮奶專程來餵境內的一隻大貓，也看過上班族中年男人下班途中匆匆拐進來合掌參拜，不過騎單車來此的嵯峨野小學校的學生比較多，他們寒天也穿著短褲短裙，兩頰又紅又鼓像富士蘋果，搶著大聲說話吹牛爭論，很像藤子不二雄手下那幾名小鬼，此外尚有穿蕾絲邊圍裙來遛狗的少婦以及大量的老人們。

久了，你比較是感同其情，你常坐在簡陋的木條凳上，任女兒放野小狗四下跑，來的時節若是梅雨剛過，古鐘樓旁潦草的梅樹林便可摘到熟透的黃梅，梅子在樹上熟透時，向陽的那面會泛著很美的嫣紅，但仍舊酸透了，你難卻女兒盛情，吃得牙都倒了。

是這樣吧，在死之前，若還有一點點時間，還有一點點記憶，你還可以選擇去哪裡，就像很多人急著無論如何要離開醫院而回到他熟悉之地通常是所謂的家，你，會選擇這裡吧，因為，因為唯有在你曾經留下點點滴滴生活痕跡的地方，所有

與你有關的都在著，那不定它們就會一直一直那樣在下去，那麼你的即將不在的意義，不就被稀釋掉了嗎？

你曾讀過某人記憶他在死牢裡的自傳，他說，看到窗外如常的陽光，聽到警衛在聽收音機傳出的熟悉小調，只要這些明天如常在著，他的死，就顯不出來了。

但為什麼不是選擇你出生、成長、生育子女並初老的城市？

為什麼不是你來自的城市？……你坐在木條凳上，冰得像坐在水裡。

告示木牌上寫著，四月的第二個日曜日和第三個土曜日才有嵯峨大念佛狂言。

大概，那個城市所有你曾熟悉、有記憶的東西都已先你而死了。

此刻隔著大洋想起來，它更像一條陌生、沒有航標的大河，時不時做些妄想撈月或做些刻舟求劍之類的傻事。例如你來的前一個月，某鄰國在你們島的南北海域連續飛彈演習，整個島便有很多人搗了蜂巢似的眾聲嘈雜沸騰。你是屬於相信或會戰起但並不害怕的那類人，緣此，當然另外尚有相信會戰並且很怕、不相信會有戰因此不怕、不相信會戰但還是很怕的……幾類人。

你不怕，是不過因為早早發現面臨重大、尤其生死存亡時，人所能做的實在不多，例如某國火山爆發，方圓好危險範圍內的居民奇怪怎麼都不跑人；你早先弄不清的中非或巴爾幹半島現在到底是誰打誰，但那些戰區百姓怎麼傻傻的不趕快去國；

古都

228

登革熱發生率如此高的高雄，怎麼還有幾百萬人面不改色的照住不誤；一年有一半時間泡在水裡的東石鄉民怎如此認命？……

你終於明白，其實你們啥事也無法做，你們二十四小時的生活規律如常，無房地可變賣，無餘錢去銀行排長龍擠兌美金，你只得和很多人一樣首度希望某國國防的科技水準能和山姆大叔在波灣戰役表現的同樣好，射得準一點，準準的把飛彈定點射到他們認為是禍首的那人家裡就好，千萬別殃及無辜。真的有人這樣相信，起碼你丈夫一個賃屋的同事便因此遷出離官邸五百公尺方圓的租住。

那些充滿了笑話和聰明主意多空交戰的日子裡，有時你站在街口等紅燈（有一次等好久，因為閣揆要回家吃晚餐），看著街景，忍不住想，這，會是最後一眼嗎？那就記下它吧……發覺好難記，不特別提醒自己的話，向左望向右望，無一例外被各種醜怪市招包裹著、住商不分的五層七層十三層樓幢、騎樓人行道擠滿了摩托車檳榔攤消防栓垃圾桶，天啊老年癡呆提早病發這是哪裡?!三重？中永和？新莊？台中重劃區？台南重劃區？……

是一條沒有航標的大河，偏你不信，老想不止兩次插足同一條河流，三千年了，不改。

＊當我死時，你會發現白橡樹印在我的心版上。

——梭羅

白橡樹最高可達三十五公尺，葉子呈裂齒狀，美極了的溫帶喬木，季節正巧的時候，樹下常落一地造型可愛的橡子，女兒在迷卜卜口龍貓的年紀，每天撿拾一衣口袋把它當作ドングリ栗子，旅館桌子堆不下了掉在地甋上，清潔工倒也從未把它們當垃圾清掉。

誠實的說，印在你死前心版上的，當然不會是白橡樹。

會是什麼呢？

走過尋常的燒烤店，你被燻得熱淚盈眶，或許，或許是那××食堂吧。××有時是老闆的名字，阿水，阿旺，有時是小鎮的鎮名，銅鑼食堂什麼的，食堂的看板店招從南到北一律漆著原意可能是海洋的褪色的藍，四周畫著紅色的魚、彎曲身軀的蝦，一絲不差的好像現在遍見的各種加盟店。食堂大都位於小鎮熱鬧的中心，通常在縱貫線火車站旁，你外公去遠處出診或北上開帝大醫學專科同學會的日子，外婆就拋開先生娘的身分，揣著私房錢，挑一個最疼的第三代，很長一段時間是你，去食堂切半隻白斬黃油雞和麻油腰花，這些都是外公平日嚴格控制外婆的高血壓不准多吃的。你哪愛吃這些，一心只想吃金剛糖球或是醃芭樂，因此火車站廊下的小

古都

230

籤仔店才是你的聖地。你掙脫外婆，口裡含著嚥不下的肥油皮，溜到火車站廊下玩耍，你抱著它光滑檜香的廊柱，臉頰親愛的偎著它，很小時候就感覺出火車站的莊嚴和那單調不興旺的小鎮簡直不成比例。

同樣不成比例的還有郵局，你有時跟屁蟲必定要隨你外公的司藥去郵局辦事，郵局特高的屋頂、陰涼森嚴如故事裡官府的氣氛叫你自動收了哭鬧，你的直覺真是半點沒錯，百年前治台的第三任民政長官後藤新平引唐詩「不睹皇居壯，安知天子尊」，說到做到，此後十年，你們或親愛或畏懼的駅站郵便局在全島陸續完工。儘管你外公家不在舊日的府州廳，車站仍有個文藝復興式的三角形山頭，驛站內有著具體而微光滑無槽的托次坎柱子，不看廊下和式的木柱和木窗和粉彩藍的窗櫺的話，是典型的樣式建築。

本質上，它們混亂的風格，和你分不出是三重永和桃園的那些非洋非閩非台非違建的混亂樣貌有很大的差別嗎？為何前者的拆毀重建曾令人如此驚慟，難道只因為附加了記憶？那麼女兒的時代，必定也有屬於她充滿溫暖回憶的事物了，你擔憂什麼，難道你只是像很多初老的人一樣，不知不覺掉進懷舊的陷阱罷了？

……應該還是不一樣吧，你隔著大洋，化繁為簡的清楚看著女兒的生活動線，學校（校齡六年的學校只因更換兩位校長而徹底動工兩次，毫無必要的玄關挪這兒

銅像移那兒，可憐的校樹非戰之罪的被掘起來改植他種）、家（附近的山坡被財團建成十來幢大廈空屋）、朋友家（玩電腦）、同學家（玩電腦）、堂哥家（玩電腦）、速食店、百貨公司……，當你們在鳥不生蛋的國家都可以在布置、色調、空調溫度一模一樣的速食店裡輕易點到口味價位一樣的速食時，女兒會對這家麥當勞移到隔條街口或那家31冰淇淋關門有若何不可取代的記憶嗎？

當這塊土地沒有了無可取代的東西能夠黏住人民時，人民只能無可奈何而非心甘情願的留下……新的統治者一定也察覺到這一點了吧，難怪把社區主義高喊入雲，希望藉此人民能夠不看僧面（國家機器、統治者）看佛面（鄉土、同胞），後者的政治正確性哪兒有人敢挑戰，你何曾見過無所不批判的反對黨敢對土地人民有過任何微詞。

屬於女兒的時代，她會記得的，或她會為它的不在而驚慟的，會是什麼？會是什麼印在她的心版上？

美麗的白橡樹？嫣紅熟透的黃梅？龍馬墓前的金龜子幼蟲繭？上廁所時懸夾在褲腰上的計步器掉進便池因而哇哇大哭的知恩院？哲學の道琵琶湖疏水道裡的野蛤？洛匠庭園池裡的太陽旗錦鯉？醍醐寺院牆口那株奧村土牛畫過的大垂櫻？河原町三條寶塚五樓每年一部的小叮噹長篇映畫？聖護院八橋的和餅？東本願寺境內的

鴿群和拾銀杏葉？做功課的 Doutor 咖啡？還是嵯峨駅對面的和紙店？……她都好放心，每次還在前去的車上就盤算著，這次可以買些什麼什麼紙，街角轉個彎就到，永遠在那兒開著，從來不曾讓她失望，和紙店隔幾家有個叫廣瀨的小咖啡館，家庭式的不超過十五個人座位，咖啡煙霧中到處散置著報紙雜誌比誰家都亂，女兒總在那裡就迫不及待的打開新買的和紙摺起來。你透著米色蕾絲窗紗的窗口望街景，覺得從未離開過，不論這次距上次已過了一年或好幾季，無論你已經從二十歲到四十一歲。

大概是這個原因吧，清涼寺永遠會在那裡，世界文化遺產十七社寺的天龍寺清水寺延曆寺永遠會在那兒，有著多種文化指定財和國寶的東本願寺南禪寺東福寺永遠會在那兒，二條城野野宮永遠會在那兒……，但凡在只要有一點點人活過的地方，這，稀奇嗎？

島內這些年不也有許多一級二級三級古蹟嗎，例如你和Ａ曾流連不去建於咸豐八年的龍山寺、以落鼻示警幫過淡水人打贏過法國人的清水祖師廟、真理街淡江中學對面的傳教士宿舍洋樓……有一年夏天，Ａ穿著削肩Ｔ恤牛仔褲，你穿著涼鞋白短裙，兩人坐在雪白洋樓的陽台短垣上不知說什麼說得那樣開心，不察Ａ的某名建築系男朋友拍下這樣一張照片。

很長一段時間的每一個夏天，你總要抽空去一趟，清水街英專路口吃一碗石花冰或綠豆湯，好像你今天走到三年坂一定會到聖護院總鋪去吃碗蕎麥麵和店家免費供應的和餅抹茶；有時你在渡船口下車，擠在一堆買魚網釣具魚丸鐵蛋的觀光客中，不過你一點也不煩躁，拾級而上到山腰的白屋去，苦楝樹下一個人都沒有，你坐在那裡一下午就像你坐在冰如水裡的清涼寺一樣，眼下是靜靜躺著的觀音山、右邊是長老會教堂尖頂和微露屋頂的偕醫館，一八八○年建的偕醫館旁的大榕樹和緬梔花，與呂基正、楊三郎數十年前寫生時所見沒什麼差別，你又覺得你好像從未離開過一樣。

一直到某一年，你帶著確定要結婚的丈夫拜訪你的祕密花園。如同往常你一樣，熟門熟路逕穿過偕醫館旁的大榕樹下，你拉著他的手，邊提醒他注意腳下綠苔的濕滑，穿過斜坡濃蔭，豁然開朗，眼前的真理街——不是了，是一條所有城鎮縣市都有的八線道寬的中山路，剎那間你竟然也想不起來原來該是什麼，你像個發現屍體報了警回現場卻見屍體也沒了血跡也沒了一切完好如常的目擊者，你哽咽的告訴未來的丈夫，這裡原來不是如此如此，應該好像是那樣那樣，慌張的漫空指東指西，

總之，你迷路了。

晉太元中，武陵人捕魚為業，緣溪行，忘路之遠近……

你再也沒去了。

大概是這樣吧，你跨出這個管它什麼兩顆星或一級古蹟或指定文化財什麼的清涼寺古山門，不會令你失望駭異的，再冷的天，老鋪森嘉的門口仍群聚著幾名買豆腐的附近居民。有一天，當你死後，他們一定還是一樣傍晚在這兒排隊買豆腐，死後的活人世界是如此的可預期，好令人放心呀。並不是只有你這麼想，一個自傳寫在死前兩三年的老導演說，對於所有老年人天天都得真實面對的死亡問題，他唯一的心願只想能每十年從棺材裡坐起來讀讀報紙，知道這個世界仍運行如昔就足矣。

不是只有冰冷冷不染塵埃保存良好的古蹟就足矣……

你忽然很想見A，單單純純的想見她，忘情的想著真的是親愛的十五歲時候比父母比什麼都與你要親的朋友呀。

天黯欲雪，平日擠滿了觀光客的渡月橋，現下一個人影都沒，橋顯得好長好遠，你把圍巾重新圍攏，瑟縮趨步的身姿令你想起好些年前電影《阿寒》裡吉永小百合走在同樣的渡月橋的一張劇照，但平闊的溪山和夾岸的人家燈火和燈籠式的路燈和橋上特有的又長又冷的風，好像五歲之前的某一刻，外公外婆牽著你站在一條同樣空氣的大橋上，原先你睡熟的，被喊醒下車，外公指著要你看中部最大的河流大甲溪，你們立在大甲溪上新建好的大橋上，外婆用日語向外公感嘆著什麼，可能

是好大呀或好美呀或好冷呀，你全身罩著外婆剛剛懷抱過你暖暖的粉香，不知在憂傷什麼，可能是怕黑、怕外公。

果然飄雪了，你慢慢走在渡月橋上，戀戀憂傷的心情與近四十年沒再想起過的五歲前的某一刻一模一樣。

你回房間看了一會兒新聞，並無任何空難的快報，不怪你神經質，像A他們美國人，應該是很守時守信的。

旅館會英語的辦事人員回答你，並沒有任何給你的留言、電話或傳真。

第一次你才覺得你們這種約法十分奇怪，農業社會式的，甚至尾生時代的，首先，你連她打算飛來的航空公司班次都不知道，全憑那一紙傳真，A也沒問你從關西空港到旅館大致該如何接駁，只留了你傳給她的旅館址，大概，她也以為這只是個小小的古城，比起她這些年待過的大都會，這確實比你們少年時愛跑的小鎮大不了太多。

這你才想，這一切，可是A在一時興起下的邀約罷了？例如工作上不愉快、或與丈夫同居者的一次嚴重爭吵……，這些都非常可能，因為不過一兩小時前你不是才忘情的極想見A，以為她親愛過你的父母、丈夫、女兒？

你穿上最暖的裝備，臉上厚厚的敷一層防風的隔離霜，決定去吃寺町通和六角

通交口的道樂螃蟹拉麵，儘管五點早已過了，五點之前，一大碗螃蟹拉麵加一盅鮭魚親子丼的套餐，只要八百九十圓。

吃完麵，飽了，暖了，整個黃昏的戀戀憂傷顯得遙遠極了，原來是血壓低的關係，傍晚時，血糖血壓低，身體感到危險，就逼人去想生死大問題。

走到本能寺，才折回頭，燈火輝煌的三條通，好多國內各地來春季旅遊的高校生在買土產。女孩子們制服裙穿得短短的都不怕冷，擠在大西京扇堂店裡大概打算替母親挑一把美麗的京扇子吧，像很多年前你做的一樣。

你已經過門不入好多回了，但它總是在那兒，真教人放心。

三條穿到木屋町通了，你猶疑該不該走進去，還是走下一條平行臨鴨川的先斗町。

木屋町的楊柳已抽芽飛綠了，讓路燈照得翠生生的。如此教人愛不釋手難以抉擇的町路在你生長的城市曾經也不少，你們就往往走在最老的重建街上，邊下石階邊左顧右盼，每一條交叉而去的渺遠小巷都讓你們覺得錯失了不知會是多大的遺憾，還有A住過的那些雲和街、潮州街、廈門街、杭州南路等，A家在中部，中學大學就都在外租屋，房東常是已出國的政府退休官員所遺下專門負責收租的副官或傭人夫婦，依住所大小有時同時分租給好幾個學生。你偶爾留宿A的住處，有時一起聽也出去念書的房東子女留下的老你們少說十年以上的唱片，那時候的歌好像喜

歡在一間空洞洞的大空房裡的錄音效果（好比 Nat King Cole 唱的《Too Young》和《When I Fall in Love》，錯過後者的四十年後可以在《西雅圖夜未眠》裡再度聽到），真的是空空的房間，連 Paul Anka 唱《Dance on Little Girl》都顯得好生淒涼，你們坐在老傭人太太擦得冰亮的檜木地板上跟著唱片套上的歌詞唱，庭院的樹太密了，帶著蟬聲的夏天陽光都照不進來，木屋子有些部分快朽了，冒著微甜的香菇木耳味，混合著窗前的青苔地和鳳凰木彷彿有毒的刀形豆莢味，你和Ａ交換過的一閃即逝不結婚的誓言，哪一樣，Ａ可能不會忘記？

大學時，Ａ雖在學校登記到宿舍，可是仍然保留最後在金華街的租處，正好堆放她過多的衣物和書籍，不過更重要的是，很快的那裡彷彿成了你們好幾個正戀愛昏頭的約會處。你在文學院某教室前等到Ａ，問她今天回不回金華街，不回的話就不回金華街，Ａ說鑰匙在誰誰那裡，並說誰誰誰老不摺被子、吃個東西也不收拾招一堆螞蟻，你回答Ａ，你和×××一定會收拾好再離開，×××是你當時的男朋友，Ａ看你一眼，咸豐七年春正月，大雪。

你和×××，心存僥倖並且不大熟悉避孕的技術，×××體外射精在木質地板上，你拭了又拭，它融入木縫裡去，×××亂翻著Ａ的書，沒興趣，遂放起房東子女的唱片，是坂本久的《Sukiyaki》，又是在一間空盪盪的大房子錄的，二十歲的坂

本久吹著悠揚的口哨，都不知道他會在二十三年後八月十二日的國內空難裡死掉。

——仍是藍鼎元

＊台民喜亂，如撲燈之蛾，死者在前，投者不已。

Ａ不借你鑰匙的話，你們就沒地方可去，煎熬不已的徘徊在街角，只好假裝去看電影，假裝去公園散步，假裝談點童年或哲學。

也曾經本來在等公車，後來情不自禁交纏到一間老公寓昏闇的樓梯間，結果被一住戶老頭打一對野狗似的趕出來。

後來真的有點愛上其中一個男孩子了，就想過著想像中的夫妻生活，希望Ａ能讓你住一段時間，你告訴父母你在學校抽到宿舍，至於原本只肯租給女生住的老傭人夫婦，錯覺你是主人驕橫的女兒，只得莫可奈何的忍耐著。

十年後再經過它，門上釘著寫有字的木牌，它變成某個泡沫政黨的島內支黨部，與你的愛情命運差不多。再十年後，它的命運遠不如泰順街五十巷五號的被作為原住民旅北同鄉會，已經看不出有沒人住，門封死了，鳳凰木、芒果、後來追上的桐類密密遮了它的黑色煉瓦。前年，路拓寬，削掉一半，鄰人們的廢料垃圾得以堆棧。年初，夷為平地，圈起工程圍籬。

239　古都

——清人得台，廷議欲墟其地。

——千重子：「養父母既然那麼疼愛我，我就不想我親生父母了。他們大概早已成了化野附近無人憑弔的遊魂了吧？那塊石碑都已經破舊不堪了……」春天，溪山柔和的暮色，幾乎把京都的半邊天染上了一層淡淡的霞光——

祇園街上卻滿滿都是人，全往八坂神社走，花見小路口的一力茶屋門前站著好些等看藝妓的日本觀光客，好幾年前，你也曾和女兒坐在對門的科羅拉多咖啡館，隔著透明大窗等待藝妓。一力長年垂著布簾，隔著庭園可以見到空曠無人無擺設無聲響的玄關廣間，彷彿正待演出的舞台。

你也隨著人潮走，從神社到圓山公園夾道擺滿了小攤，有吃有玩的，小時候過年的氣氛，人潮流到大垂櫻前的廣場就滯淤了，儘管每天新聞都報了花訊，大家還是照來，這個季節不來也不好去哪兒。店家也一樣，每棵櫻樹下都早鋪了紅氈，隔段距離就燃起一竿庭燎，隔一會兒不知到什麼，爆起星散的火光，路人就又驚險又興奮的推擠鬼叫一陣，廣場邊，多了幾攤平日沒見過的街頭表演，可能都是外籍學生，有拉小提琴的，有穿燕尾服表演吞劍的，還有一名高個子金髮女子，希臘女神打扮，露著雪白的手膀演奏豎琴，冰藍色的眼珠凍得又結了一層薄冰。有電視公司正打強光照著大垂櫻，無非為了再次說明今年真是冷得還沒半點開花的跡象呢！

我在聖馬可廣場，看到天使飛翔的特技，摩爾人跳舞，但沒有你，親愛的，我

孤獨難耐。

你邊走邊欣賞著樹下一攤攤的醉態，有上班族男生扯鬆了領帶，對女同事們忽然操著蠻橫的口氣，女同事們奇怪都不生氣，像媽媽一樣的微笑忍受，老先生們喝得比較徹底，早就衣冠不整，汗巾綁在額頭上唱起演歌來，很像你的外公，其中一人亂中見到你，醉態可掬的喊住你：「ネエサン！」叫你大姊，也很像你外公，喝了些酒時會這樣喊你外婆。那時被喊「ネエサン」的外婆是什麼樣子？在外公面前永遠傻笑著但同時不忘帶領傭人和你的舅媽她的媳婦們在搓湯圓，做綠色的蟻粄，若第二天是上元節，次日你們得去公太的墓前掛紙的話。你最怕吃蟻粄，綠綠冰冰黏黏的用一截月桃葉片托著，天知道月桃最愛長在墳地，辛烈的氣味根本就是長年吸食死人骨髓的結果。

因為害怕吃沾了死人氣的蟻粄就不上墳，因為逃上墳就要求在上元節前回父母家……好些年後，成了忘記自己原先也是有墳可上的人。

粵人祀三山國王，漳人祀開漳聖王，泉人祀保生大帝。

依歲時，大晦日除夜，你於清水寺前靜穆心情聆聽僧侶們撞那一四七八年造迄今的古鐘；次日，平安神宮初詣，神宮境內前日的篝火餘煙給凍得直直的；七日內

241　古都

還沒離去的話，便去上賀茂神社觀看單調的白蒼馬奏神事，神前供養著七草和七草粥；花祭第二個日曜日，醍醐寺的太閤花見行列，重現慶長三年暮年的豐臣秀吉最後一次偕妻北政所、妾淀君和百官在醍醐寺的賞花大會；月末，伏見稻荷大社的稻荷祭，朱塗飛簷梁柱襯著墨綠的黑松，鼓笛尺八終日不歇；五月葵祭，為了躲梅雨季，你從未參加過；夏末，愛宕山下化野念佛寺的千燈供養；九月杪，本能寺僧在大堰川施餓鬼法會；十月終，北野天滿宮餘香祭：二十二日，A的生日。

二十二日，時代祭，你尾隨人潮和鼓笛音從御所、烏丸通、三條、到神宮道，遊行行列皆做著各朝代人物的服飾妝扮，古都秋天一幅優雅的歷史風俗繪卷，向你緩緩展開……有幕末志士桂小五郎、坂本龍馬、江戶時代名女人吉野太夫、出雲阿國，桃山時代的秀賴和織田信長，鎌倉時代的大原女、桂女、靜御前，藤原時代的紫式部、清少納言，殿後的是延曆時代公卿諸臣的上朝情景與平安神宮遷都時警護的丹波弓箭組。

至於島上的歲時節慶，三月十五迎保生大帝，三月二十三媽祖生，五月十三霞海城隍祭，五月六日清水祖師得道升天之日，十月十日水仙尊王祭……你常常被迫參加的是金母娘娘的婚喪喜慶，真的是婚喪喜慶，不然何以一年裡那麼好些次，巷口的慈惠宮鋪天蓋地一夕間搭起醜怪的鐵棚架，當路口好大一尊汽油桶，上漆著要

古都

242

求車輛改道的小學三年級字跡，然後就連擺至少三日的十幾桌信眾們，嚼蠟似的無啥表情在看改黃版的歌仔戲或朱延平電影。平日，廟祝及其執迷者都在門首勤練乩童技藝，它是六合彩組頭收放彩金處，也是該里大小選舉的投開票點，和某某農會來推銷花粉蒜精的說明會場所。

你每走過九十分貝誦經聲和金爐紙煙繚繞的宮前，見廟祝穿件印著××金獅團汗衫和街坊幾個有名的遊民一起泡茶摳癢看豬哥亮錄影帶，迷惑它在本質上與同樣被町民們充分使用的清涼寺真的有天差地別嗎？不然為什麼你會願意在清涼寺無所事事坐一下午，而走避不及的逃離你天天得行經的慈惠宮？

──捨祖宗之丘墓、族黨之團圓，隔重洋而渡險，竄處於天盡海飛之地──

近三百年前的《諸羅縣志》曾經如此描述你的母系祖先。

你的祖先在「片板不許下水，粒貨不許越疆」的年代，僅攜著一根扁擔就渡海，扁擔至今供在祠堂。關於這名祖先的傳奇，版本很多，有成功有失敗，端視後代子孫教訓子女時所需。你比較喜歡的是矢內原忠雄的說法：青年為土匪、壯年成富豪（與現今多麼的一模一樣）。

扛根扁擔、羅漢腳的祖先，曾經一心想，甚至真的成功當過土匪……這樣想著，你不禁從心底一路笑到嘴角……

夠了，你覺得夠了，今晚足夠了，可以回旅館，不管A在不在、來不來。

四條大橋頭的巡旅僧仍杵著，不知是否是同一人。鴨川畔，規定似的每隔五公尺就一對緊緊相擁的戀人。氣溫只有攝氏兩度。

木屋町通的阪急電車地下道口圍著一大群人，是一名一人樂隊演唱的老外，短袖T恤仍唱得渾身大汗，歌是你年輕時的流行歌《繫條黃絲帶在老橡樹上》，點歌的日本女孩拉著女伴很樂的就地隨意起舞，桃精柳鬼一般。你也駐足在人群裡，高瀨川畔的楊柳美透了，記憶中，只有詩詞描述的蘇州和大學時學校側門瑠公圳畔的情景可比。

樂聲結束，圍觀的年輕人一陣鼓掌口哨騷動，有人遞了張鈔票，又點了一首你年輕時流行過的歌，有意讓唱者歇息似的，是節奏較慢的《Alone Again》，你喜歡得不得了的，因此不忍卒聽，漸行漸遠。

晉太元中，武陵人捕魚為業，緣溪行，忘路之遠近，忽逢桃花林——

應該是，清康熙年間，漳州南靖人郭錫瑠自大坪林引水做灌溉渠道，造木筧引青潭溪水橫過景美溪，經公館折向大加蚋堡，自乾隆五年到二十五年，是為瑠公圳。

你打算好好睡一場覺，放棄了四條街上一家家美麗咖啡館又濃又香的熱咖啡。

——千重子抓住紅格子門，目送孿生姊妹苗子遠去。苗子始終沒有回頭。千重子的額髮上飄落了少許細雪，很快就消融了。整個市街也還在沉睡著。（全文完）——《古都》

飛機是上午十點起飛，因此你離開旅館時仍是清晨，整個市街也還在沉睡著。你回頭望望，目送你的只有早起的旅館經理，你無法向他解釋為何不等花祭，並且取消原先預訂的一星期的住房。

你直覺Ａ不會來了——自始至終你都沒相信她會來對不對？——她比較像三線道的那些茄冬，比較像坂本久悠揚的口哨，比較像曾經的很多個夏天，你們相約在火車站前，你等她的時候多，烈日當空照得你一無所覺，心臟太新，血管夠韌，汗水濕透前胸後背都未有任何異味，那時天人還未五衰，你是四條大橋橋頭四時不動如清涼地的巡旅僧，心如止水。

不知打從什麼時候開始，飛機著陸島上震動的那一剎那，你都會默念「土番所處，海鬼所踞，未有先王之制」，咒語似的念一次以後，就比較能接受一出機場的黏熱和逃難一般的混亂瘋狂場面。

果然便有個開九人巴的中年司機用日語向你遊說招攬，並頻頻催促你決定。你不開口，決定當一名異國人，便領首答應，於猜想他是在推銷他的車位和旅館。你不開口，決定當一名異國人，便領首答應，於

是你被俘虜似的掠上車，車裡的標幟告訴你，原來是火車站附近的旅館，記得以前一個住南部的好友北上聯考時就是住在那一家。

旅館應該距本町書街不遠，你掏出在祇園書坊買的一本介紹島國的旅遊書，書內且附有殖民地時代的地圖和景點。司機先生臨闖上車門際瞄到了，指戳著你手上的地圖忽然啞巴一樣急切熱心的示意你將住的旅館坐落位置，表情十足是書裡描述島民的「笑顏、親切」，你禮貌的向他微笑點頭，新奇的打量車內和車外的一切。

不急，你的假期還有一星期。才開始。

在時時擔心會失火的淺眠中醒來，你帶著地圖，穿上行囊中最薄的衣衫，乖乖依旅遊書的建議，從旅館不遠的摩天大樓展望台開始當日的散策路徑。

摩天大樓高高二四四公尺，台灣第一高，與東京都廳足可匹敵。

你從來沒有過這個角度看你生長三十多年的地方，大概老天爺城隍爺就差不多這種距離看吧，不太遠也不太近，如此那些前日你曾在高速公路九人巴上感嘆「天啊要醜到這種地步也真不容易……」的房子才不致那麼明顯，連每隔五分鐘就降落松山機場的航機們也大冠鷲似的優美的緩緩掠過劍潭山腰──啊找到台北州廳了，往南延伸，找到了台灣神社了，那麼接下去的ビル建物谷間就應該是敕使街道，書上說，常夏的台灣，夾道的並木大王椰充滿了南國風三線道路就清清楚楚了，書上說，常夏的台灣，夾道的並木大王椰充滿了南國風

情，景觀之美有東洋小巴黎之稱。州廳旁羅列第二高等女學校、蒲葵海棗掩映的幸町教會、台灣總督府研究所、外公念的帝大醫學專門部、帝大附屬醫院、赤十字本部（得把那棟醜怪特權破壞天際線的十幾層某黨部大樓抹掉）、小丑樣的可憐的景福門、東門町不介壽路不凱達格蘭大道上、台灣總督官邸，你總算看到它的後園了。

高中時，那是你們常流連晃蕩的地方，總奇怪它占地如此大的石屏牆內是什麼，不須知道它是世紀第一年建的，你們就已很滿意它文藝復興的味道，穿著校服，坐在石屏牆外潔淨的紅磚道上，好幾人咧著嘴在笑什麼的留下過這樣一張相片。隔馬路是近藤十郎設計、也是文藝復興風格的帝大附屬病院，後來你在外公的大學畢業紀念冊上也看過那麼一幀黑白相片，幾名五四青年打扮的大男生坐在常德街上，旁邊的日文望漢字生義大約說，這是朝朝暮暮他們最常行經、最將永遠思念的一條路。

相隔半世紀以上的這巧合，真令人失去現實感。

日後，這些也會輕易成為女兒牢牢不去白橡樹的印象吧，從這個角度俯看這城市。

如同高架捷運穿越過參差灰敗的大樓會如伍迪‧艾倫的電影一樣響以《Sleeping

《Lagoon》的小喇叭聲，你低眉俯看腳下的城市，不由響起的仍是常被拿作紐約襯景音樂的蓋希文的《藍色狂想曲》，不過你很快就想起你在哪兒，因為身旁不時發出驚嘆的遊人都操著日語，手持殖民地地圖。

你離開大樓，大樓原址是鐵道ホテル，你記得的是，原先在目前電扶梯出口處是你們每個月得來一次排長龍辦公車月票的地方。

你擇表町走，遙遙朝南可望見新公園的兒玉總督、後藤民政長官紀念博物館，書裡用了大量篇幅描述這幢樣式建築全盛期最典型的作品。公園你大概有一百年沒來了，才知道原先花鐘處是兒玉總督的銅像台座，二二八紀念碑建後給改種成樹，原來陳納德的銅像是後藤新平，當初協力出資的有辜顯榮李春生。

二二八紀念碑區弄亂了你記憶中的新公園，天啊難道那幾株橄欖又礙誰惹誰了！你尋它們不著，只得先走出林區，找到那幢美麗的西班牙房子。美麗的房子現在才知道是六十幾年前建妥的放送局，你們常在它旁邊的楓香林子拾落葉做大夢時，它是中廣舊舍，現在，是市政府工務局公園路燈管理處的辦公室。

楓香林子還在，你又懷疑它給裁截過，不然區區幾株樹如何可以讓你們藏身並擔負你們數人的傻話癡夢，你們仰著頭，藍色潔淨的天空襯著勉強斑黃的溫帶秋葉，看久了不知置身何處，就可以編織將來要去哪裡哪裡、大都是天涯海角之地的

古都

248

夢想，捨祖宗丘墓、族黨之團圓、隔重洋渡險、竄處於天盡海飛之地的哪裡只是一直被指摘的你這種父輩四九年來台的族群！

從公園靠榮町的側門出去，書上向你推介新高堂書店，你還清楚記得陰涼如神仙洞府的一樓大廳，沿壁而上的弧形樓梯，磨石梯階經年踏得光滑冰涼，隔壁「三六九」每有新蒸松糕出籠，那發酵的香味便穿牆過來，逼使你們棄書而去。神仙洞府一九八〇年拆毀重建成玻璃帷幕大樓至今。

台灣銀行，一九〇三年野村一郎設計的木造 Mansard Style 建築。一九三四嚴重蟻害，一九三八改建至今。你以前和Ａ最喜歡大步走過這裡，奇怪從沒抬頭像你現在這樣細看它整個建築，那時候你們曾一致同意，這家銀行（你們甚至分不出它與其他銀行的不同）若肯把它的窗子全改成透明櫥窗，放上美麗的珠寶首飾什麼的，就非常像電影《第凡內早餐》裡奧黛麗‧赫本心情不好時就會去流連的地方了。

台灣總督府，一九一九年依公開競圖獲勝者長野宇平治的設計建成，原設計圖中央塔較低，有圖為證，真的看來比較怪，後改為九層，是你們記憶中絕無可能再更動的、什麼呢？

十月三十一日，總督府優先開放給你們這些「做鄰居的」，忘了是否出於學校的規定，你們大都好開心的排長龍進府，行禮祝壽完可得壽桃一，孫女似的天真無邪，

可能要到二十年後國際新聞報導裡你看到為金日成衷心祝壽祈福的那些三假裝不來的人民的笑靨，才恍然並感嘆不已。

你真羨慕那些從來不曾去排隊領壽桃的（印象裡，班上確有那麼幾人），從來不會被統治者的愛國教育所感動所激勵所洗腦，甚至有人看一眼黨旗就會悚然驚懼，而非你們大多數的熱血沸騰當下想到陸皓東黃花岡……，同樣十幾歲的年紀，她們是如何做到的？以至在日後的啟蒙成長和獨立自主人格的養成上，省了好大一段冤枉路。二十年後政治正確的寫作者也許不難替她們安排一兩位二二八受難親族、或耕者有其田政策下被合法掠奪過家財的、或在牯嶺街買到《自由中國》或《大學雜誌》並因此啟蒙的，不然就有個替康寧祥郭雨新偷偷發宣傳單的姊姊或男友……但是你的同學們，你試圖回憶著，她們是如何辦到的？你記得的幾名或頭腦清楚或真可能有受難家屬的，其中一人二十幾年音信斷絕的在省市長選前與你聯絡，匆匆寒暄不及敘舊，便推介某政黨某候選人；也有父親是大稻埕的雜貨商，大學和出國後都是念政治，她的獨立主張在你們學生時代是十分鮮明罕見的，她的曾經認真考慮要不要應教官的邀約入國民黨和念書回來即進政府機關工作也是極為讓你吃驚的，你想她可能只是要去臥底或走體制內改革的路，可是同樣選前她約你喝下午茶，希望你投票支持她目前工作的老闆連任，也令你吃驚不已。

——她們這些當年不肯領壽桃的，在想什麼？

繞過總督府，書院町上註明的景點有遞信部、台灣電力株式會社、總督府圖書館……；你站在書院町一丁目，左望桃源街，乾麵店群給拆光了，圍上工程圍籬；右手邊，書上說是淡水館，之前是登瀛書院，一八九八年辜顯榮買了改為台北新舞台，戰爭末期毀於美軍轟炸。屬於你的記憶是中華婦女反共聯合會，但凡名字長到這種地步，你們照例就搞不清那是幹什麼的，只每學期的其中一堂護理課全班會被帶到這裡替前方戰士做、不是征衣、是療傷的棉花球。棉花球在女工們談笑間或大或小或鬆或緊或歪扭或灰髒，將士們敢用才有鬼。

乃木町。被榕樹和楓香掩蓋的大戶人家門口停著一輛越野吉甫車，車身上貼滿軍國主義味道的貼紙，與隔巷的周至柔的西班牙式房子一般數十年來無任何改變。像這種從未有任何改變，只任憑庭園樹種肆意怒長（通常是原住者植的南國風情的、對、椰子檳榔芒果榕樹……）好遮掩住煉瓦屋頂和石屏牆，免遭人注意。如此的人家呼之欲出的還有好些，之所以不想惹人注意，大多是因為前朝遺老退隱了還占住官舍之故，有那操守清廉的，更是謙抑難捱，要也退休的副官或傭人老夫婦來少三更半夜開個越野吉甫或跑車在門口大按喇叭，子孫偏不給開門。有二代子孫念了書還肯回國的，便想法偷偷拓建施工，有貼了面磚如復興

251　古都

南路一段二九五巷子裡種了十四棵大王椰的、新生南路一段九七巷裡長滿玉蘭茄冬樟樹的人家，然後他們都會在八○年代末的幾年間，應回國無聊過暑假的第三代要求，砍幾株樹，鋪塊水泥地，立個籃球架，肥滿的孫子們就都以為自己是ＮＢＡ的英雄好漢們，不信的話，搭一趟捷運，復興南路大安路的兩岸官舍人家可資證明。

也有相形之下令人大為不平的如瑞安街一三五巷長滿油加利和洋紫荊的大院落（整戶人家的幅員可抵正對門數十戶和平東街的一半），和信義路三段一四七巷師大附中旁的和安里……，上述可能住著的是資政和有給國策顧問級，因為配有警衛崗哨，尤以後者，區區一四七巷之隔，大家約好了似的單數十七弄一、二、三、四號你做大官，雙數十二弄裡我做亂世小小民一口氣擠了二三十家老眷區違建。和安里的布告欄上早先張貼的淨是激勵小民們的愛國標語口號，近年為配合新統治者生命共同體的口號，較溫暖多了，舉辦種種尋求社區居民建立認同感的軟性活動……，你總好奇著，只要一四七巷這條楚河漢界一天如此清楚分明的在著，雙數小民們的生命和單數大官的如何可能共同？

這些人家也有早早想法解決了土地產權問題的，便依二代子孫回國的年代、所學、駐外的地區而改建成不同風貌的房子，有宗法格羅培斯（Gropius）的哈佛箱型屋，有密斯（Mies）的玻璃鋼鐵風格，有貝聿銘成為大師前在波士頓 Stone &

Webster Engineer 公司設計的，有邁爾（Mier）的大框架架玻璃牆，大師洛易斯‧康，乃至另一位大師，蓋帝國飯店、和一九二三年關東大地震一起結束日本樣式建築時代、說過城市是銀行和嫖妓的基地和摩天大樓雜草式亂長的萊特，則無法在地窄人稠的基地有所施展。

這些改建的房子們，後來被未體原意的租房買賣人給改得讓人難以窺其原意，鐵窗、冷氣、甚至市招把立面徹底毀容，清水混凝土顯得髒兮兮的令人想到樓梯間一定有一堆吸毒針管；難得肯退縮設計所保留的空間，被停滿摩托車和黃昏水果攤和鹽酥雞；還剩一點點味道的，與濟南路平行的忠孝東路三段十巷，清水混凝土好佳在沒被貼馬賽克或二丁掛，並保留了會帶來光影變化的植物群，只窗子換成透明櫥窗，開起一家家的 boutique，很像原宿表參道上的那一排老公寓；也有單純的十樓公寓如新生南路一段九七巷，兩株楓香與樓齊高，公寓設計信守 Brick is humanist，磚即人文，貼了赭紅色的溫暖的面磚，冷冷的天氣，下午提早上燈，Peyton 小鎮後來若是蓋了公寓，艾莉若是結果哪兒都沒去成，就像你一樣只乖乖的結了個婚，那大概就是在這樣的燈光下記記帳，讀一本小說，等女兒放學回家。

西門町，日本人の歡樂街。殖民地圖上這麼說。

西門町，位於早拆掉的西門舊址，附近有末廣町、壽町、築地町、新起町、若竹町。

你上一次來，可能是大學畢業後與服兵役休假的男友約了看電影。男友告訴你，在他等候你的十分鐘裡，有兩批人馬分別來向他拉過客，其中一人見他穿軍裝，好心的安慰他，「嘿排仔無關係啦，樓底還一個中校仔。」要他這小小的少尉軍官放心。

你沒告訴男友，你晚到的十分鐘為了要擺脫一個老頭的殷殷邀約，他不死心的從要收你做乾女兒到吃餐中飯到不然送你一雙鞋就好等等等。你覺得西門町可憐透了。不再是你們做學生時候的歡樂街，第一次，你才看到它的衰敗，髒兮兮、臭烘烘、小攤仔的零嘴看了就很難吃，滿街都是 Bee Gees 的週末狂熱，服飾店裡亮閃閃的劣質迪斯可舞衣更凸顯得它像個塗了濃妝看能不能拐兩個客人的老妓女，你同情極了，不願再去，這是你唯一能為它做的。

你讀著書上的漢字，原來你從未進去過的萬國戲院是純日式的演劇館「昭日座」；台灣劇場是現在的中國戲院；芳之館復後是美都麗戲院，後來是你們看了好幾遍《教父》的國賓戲院；新世界戲院原來就是新世界館，你記得外公外婆在那兒看過《大菩薩嶺》、《愛染桂》，館後的片倉通橫町上有壽司屋、畑煮屋、蒲燒屋、燒鳥屋，你看不懂平假名部分，不知它是說以前或現在有這些店，你仍像最後一次來此一樣，不願涉足其中。像一名觀光客一樣，被太多新奇事物弄得神形疲乏，你擇一株路樹的花壇磚垣坐下，紙上神遊。

路樹是小葉欖仁，整條街都是，隔著透光效果甚好的樹影望去，起著綠煙似的，像剛剛抽芽時候的櫸樹或溫帶樹種，難以令人相信它是來自非洲。植有這種樹和黑板樹的行道及建物，年齡大約不超過十年，就如同種有木棉的地方大約發展近三十年，最顯見的是大量的國中校舍周遭（除非使用的校舍是以老校舍權充，那就是、對、榕樹、北部楓、南部鳳凰、和南國的風情的你也會背了的檳榔、蒲葵、大王椰）。選這種樹種者的原意一定是希望長勢頗猛的木棉能讓那些大量興建的新樓新牆快快擺脫樹小牆新的印象，彷彿在此已落地生根好長好久了，同時期政治上蔣經國時代的大量起用台籍人士，不也是同樣的用意？

清康熙四十八年，泉州移民陳賴章墾號獲准開墾大加蚋堡之野，艋舺漸成村落

......

晉太元中，武陵人捕魚為業，緣溪行，忘路之遠近，忽逢桃花林，芳草鮮美，落英繽紛，漁人甚異之……

漁人甚異之，復前行，欲窮其林，林盡水源，便得一山，山有小口，髣髴若有光……，有一刻恍惚，你不知置身何處，阡陌交通，其中往來男女衣著悉如日人，黃髮垂髫，怡然自樂。

於是你擇末廣町走回西門市場，漢字告訴你，那一棟總是掛滿了色情電影看板和充滿同志故事的建築是一九○八年建成，也是近藤十郎設計，之所以設計成八角形是取八卦意，望能鎮邪祟，因為西門城郊原是台人墓地，時有山野小獸竄出嚇人，便遠從京都伏見四月杪你會去看稻荷祭的稻荷大社迎了狐仙神魂來鎮祟。髣髴一則寓言故事。寓言故事裡吸引你的是那與你一樣流落在此的狐仙神魂，避秦時亂，率妻子邑人來此絕境，不復出焉，遂與外人間隔，問今是何世，乃不知有漢，無論魏晉。

如此複雜混亂的心情，你不再循書上建議去尋訪公會堂或布政使司衙門舊跡，也過巡撫衙門舊跡、台灣總督府、南警察署不停。現在的警察局總局也有高達數層樓的小葉欖仁，一副也是落地生根很久的樣子。實則一定不超過十年。

古都

256

南望京町，你猶疑要不要回旅館歇息——熟悉的麥田黃上巧克力的圓嘟嘟的字，Doutor。

Doutor，你的祕密花園，你的小小租界，你喝著連價位都差不多的咖啡，環顧四周，難以挑剔它有何不同，甚至店裡還有你和女兒說的大便燈，但凡店面大一點的Doutor，都會懸吊那樣一座主燈，透明和茶黃的不規則狀玻璃片砌成大蜂巢似的燈身，你和女兒曾看過一則國際新聞，某家航空公司正飛行中的航機艙儲出了問題，冰塊狀的排泄物從萬呎高空直墜進美國中西部某小鎮的一戶人家臥房，一對正熟睡的夫妻被破屋而降的不明物給驚醒的應該就是這個模樣吧，你們叫它大便燈，常常在大便燈下的大圓桌做算術，七八歲打兩隻毛辮子圓圓臉肯跟你手牽手的女兒。

你兩眼熱熱的，太多人抽菸了。

旅館的人還沒發現你是哪裡人，說著腔調不標準但你依然聽不懂的日語，你猜想他是告訴你可以和他換比銀行划得來的匯率的台幣，你禮貌的含笑婉拒他，決定繼續做異國人。

他日禍台者，必倭也。

再次確定了逃生路線，包括窗口的緩降梯，你放心的憑窗佇立，腳下的商店人

257　古都

家早已上燈，城西的天空還亮得很，城西總是那樣，可能是臨河故。高中你們放學不想回家，又急著說話，往往順著學校門前的大路直走，糊里糊塗穿過大馬路都不知覺，一直走到祖師廟一定不約而同回頭或右轉他去，因為覺得前面是另一國，儘管盡頭不遠隱隱大河在望，都算了不去，後來讀到「夙盜藪也」四個字，也不論實際含義的就認為是指近在咫尺從未去過的河碼頭那裡。

夙盜藪也。

不知櫻花進展如何，你打開旅館電視，不難找到NHK的新聞，一個字也不懂的熟悉語調好催眠人……你好想念圓山公園大垂櫻廣場。

沒看到花訊，沒看到空難，你和衣睡倒，連隱形眼鏡都忘了摘。

農曆三月薔薇蔓、木筆書空、棣萼驊驊、楊入大水為萍、海棠睡、繡球落。

南國假期第三天。你起得早，亟想融入你旅行的這個國度。你隨上班上學的人潮在本町一陣亂走，書店只剩三分之一，你想不起峨嵋餐廳、美心士多原址在哪兒；你也想不起聖瑪莉、肯德基炸雞原來是什麼。你只得退避租界三越百貨某一層的喫茶室，邊用洋式早餐 set 邊瀏覽早報。頭幾版看完，不想繼續，夙盜藪也。

拿出殖民地地圖，你考慮今日的行程。

中正第一分局，清代考棚，秀才考的隨意詩題「自來水與德律風」。一八九五

年領有台灣改作步兵第二連隊醫局使用，其中相當於大佐的陸軍軍醫監森林太郎隨北白川宮親王自澳底登陸後，即隨軍駐此，森的從軍紀錄後由岩波書店發行，筆名森鷗外。

你尾隨森鷗外每日的散策步徑，……但願五號的老知事占住者請繼續，一號不知占住者誰，和你外公一樣未戰死未失蹤自南洋回來的屋主曾經植下的麵包樹，這曾被達爾文描述為「由於它那闊大、光滑且掌痕深切的葉片，使得它格外搶眼」的麵包樹，嚴密的籠罩著美麗完好的煉瓦屋頂。不禁使你猜想，當年在此附近求學實習的外公，是否在此遊蕩時見過同樣的景象，因此暗暗發誓日後也要建一幢一模一樣的家園。你外公家的東北角邊就也有好大的一株麵包樹，遮蔭整座蓮池、蘭花棚、葡萄架，唯蔭覆不過李子樹和樹下專司看守側門的歷代狗狗。好大的麵包樹落葉你們撿拾來以芒草莖捽綁做靴，趁外公出診時下池塘摸魚，可防螞蝗吸附。麵包果從不吃，但鄰人會來討去燉肉湯用。

當然也可能外公立志模仿的是學校另一頭的徐州路五號，外公家門前也有一模一樣的玄關車寄，前有接應室，旁有書房做外公看病的診療間；廣間經廊下可通起居間與子供室，後有食堂和炊事間、女中室、風呂間……，很典型的具和洋混合風的昭和住宅。

你尾隨森鷗外和外公的散策路徑穿越三線道路的東線，一輛不耐煩等紅燈的髒舊客運車占了半道斑馬線，車首寫著開往淡海。你敲敲車門，他讓你上去。

大正町。左側是照安市場，詔安唐，漳州詔安人捕魚為業——

三橋町。仿文藝復興式的銀行，噴漿材料顯得髒兮兮的，它占著的位置原來是芳草鮮美落英繽紛的社區小公園，從你們喜歡而不在了的三家咖啡館（ＣＡＴ、圓桌、夢咖啡）臨窗望街景，都得依靠它的綠意盎然。

宮前町。砌以紅磚夷為平地怎麼了？……聖多福教堂前群聚著外勞和菲傭。

圓山町。車行橫跨基隆河仿皇居二重橋或一說宇治橋的明治橋上——大正十二年，皇太子參拜台灣神社時以「色美、青田續、白鷺の遊、風情」字眼讚嘆過的明治橋——腥風一陣，尋向所誌，遂迷不復得路。

台灣神社，若非毀於戰爭末期日軍飛行機墜落所引發的大火，應該等同於你常參拜的八坂神社吧。乃木總督時代，帝國議會接受建議把神社設於台灣的統治中心台北，前此台南、基隆都曾經是考慮地點，最終決定的原因是，若把台北古城當作皇居御所，那基隆河便是鴨川，劍潭山是東山，整個台北盆地在地理位置上便與京都相髣髴了。

你不知道這客運會走哪條路，山腳下的唭哩岸、嘎嘮別？或從王家廟左轉大度路而去？

司機酒後駕車似的猛超車狂按喇叭，數十年如一日，似乎是這家客運公司招考駕駛的資格限定之一，你且見他一直吃票，頻頻催促上車投錢的乘客動作快些，並好心揮手叫他們趕快找座位坐穩且乾脆由他代為投錢好了。他果然把銅板投入票箱擲地鏗鏘有聲，紙鈔卻給捲到手心裡，待車行某個紅燈，你見他摸摸鼻子搔個癢，就把紙鈔塞入襪子內了。年輕的時候，你一定會熱心腸冒著被扁的危險當場糾正揭發他，此刻你只別過頭去，窗外是被眾財團自耕農買光了的關渡平原，竊國者侯，竊鉤者誅，賊來迎賊，賊去迎官，稱大清良民。

你希望走的路線會是大度路，因書上說三線道路西線的那些百年茄冬都移植到大度路了。

車飛過大度路口不入，平疇四野的路口幾家大展示場大市招 TOYOTA、SUBARU、CRYSLER⋯⋯很像美國的某些小鎮。

車飛過關渡隘口，真真是久違了。

司機又吃了三人份的票，夙盜藪也。你迷茫起來，路齡一百整歲的公路面貌竟像所有新市鎮的重劃區，夾道的油加利樹也移到大度路了嗎？捷運北淡線的水泥

圍牆完全擋掉紅樹林和江面。主政的，無論中央或地方首長，無論是執政黨或在野黨，天天比賽誰才最愛這個島，把它愛到這種地步也真不容易。

車速更加的瘋快，愈近目的地你愈認不出路，儘管驚疑不定，也未曾想求助正專心吃票的司機大人，你真正像一個異國人，料定別人無法聽懂你的問話。

慌亂中，你瞥見黃槿——穿過林投與黃槿便是海——便果決的在下一個停靠站下車。

是油車口，一九三九年，日本神社在此完工。

你往回走，這段短短的河灣，你們最喜歡在這裡看人釣魚，看潮水漲落，看觀音吐納，看星星，看漁船進出海也好想出航。也偶有Ａ的男生朋友拿到家教費或攝影作品被雜誌採用，就請你們去榕園喊瓶啤酒炒盤蚋仔，講不遠處的紅毛城國恥直到哽咽難言。

現在的榕園咖啡好貴，你在心底匯兌了一番，貴過你在其他國家所喝過的（只除了萊特蓋的帝國飯店的藍山），不過你需要坐一會兒以便整理你的殖民地地圖。

天氣仍很冷，只你一人坐在室外的大榕樹下，腳下的木頭地板架空於河面，好像夏天鴨川畔的納涼床。

眼前的景致，大河入海處，與十六歲的你初見時無異，與一九三九年那個十六

古都

262

歲的少年所見呢？你好奇著那十六歲的少年日復一日目睹神社的興建和完工是何等樣的心情？就如同他每天中學下課時遙望日籍高官貴族出入的高爾夫球場是何等樣的心情？……大概是大丈夫當如是耳吧，不然他日後何以以元首之尊對所有諍言充耳不聞並如此樂在其中。

你沿河堤岸走，料想十六歲少年岩里政男放了學也喜歡來此散策，黃槿掩抱著煉瓦屋頂的是清代的官有地租借區、日人領有後的行政機關和官舍。仍然是大丈夫當如是耳吧。

你居然尋到十一巷正對的巷子，你心跳加速的拾級而上，便被鐵柵門阻斷，你害怕記憶有誤，便退回中正路，從福佑宮旁的巷子上去，至重建街左轉，穿過人家前庭，來到山腰小徑，你見紅樓在你腳下，但實堵堵個灰牆把你又阻斷，莫非它現在成了幾級古蹟不能與你相濡了。苦棟樹還在，樹下坐著一架望著海的十六歲白皙軀你一點也不吃驚。

你只得循山腰小徑往記憶中的清水巖去，江面被正午太陽照得迷離難直視。

「長崎の情調，鹿兒島の風光」，日人如此描述過你眼前的古城，那應該是岩里政男少年時代吧。

第一次看到沒有香煙瀰漫的金爐，原來清水祖師廟正整修中，鷹架擋住門面，

老工人騎在屋脊上，你真可憐它遭禁閉坐監，以前視野開闊的廟埕，現被左右兩棟醜陋的公寓擋得只剩峽谷一道得窺江上波光。你早已打定主意不去偕醫館、真理街、頂埔一帶，不願面對注定的遂迷不復得路。

鑽過鷹架，進廟，座上的黑面祖師嘿嘿無言，兩側分別陪坐著蕭府王爺和西秦王爺，你便拜拜祂，求籤，一卜就得，是第四十六首，籤云：物態何曾改，江山一古今，欲求心下事，流水奏佳音。

他何能豁達如此？

你拾級敗走，渡船口遊人不多，你假意混跡其中不知何從何去，也想渡江到八里坌，江上時不時有金幣也似亮度大小的鯿魚群凌空飛灑，甚令人想念。畢竟你決定搭乘另條路線渡輪逆流而上像昔年先民們像西班牙人荷蘭人到大稻埕，書上漢字目錄告訴你，大稻埕去完，你的古都巡禮便告完成。

你屢望渡輪，髯髭三百年前鄭成功登樓西望澎湖，「有糧船來否？」

你等待的糧船名摩訶薩，大菩薩。大菩薩卻不渡你，經驗豐富的打香腸小攤老闆見你徘徊良久怕要尋短，便好心搭訕，你告訴他你是在等候渡輪摩訶薩，他告訴你渡輪生意太差已停駛好久了。

不是說地獄不空、誓不成佛？

古都

264

你只得覓回福佑宮前的市場等客運，市場收了早市，尚未處理的魚血魚鱗遭日頭曬得泛著冤魂味。擠在沸騰喧囂的魚魂們裡，料想對街高齡兩百多歲的福佑宮也不肯受理你們……有一個剎那，你幾乎要捕捉到十六歲時的官能感覺，陽光熱水一樣當頭澆下，你衣服穿得過多，已經一身大汗，你在全心全意等待一個什麼，百毒不侵。

＊無主之地，無緣之島

你選了一輛直達客運，料想它可能會走大度路，你不死心的想看一看那些十六、七歲的好多夜晚曾蔭覆過你們、聽了無數傻言傻語卻都不偷笑的老茄冬，那些老樹們在著的話，很多東西就都還會在，見不見面也沒有關係，像Ａ，像清涼寺門前的老森嘉豆腐鋪，像印在死前的梭羅心版上的白橡樹。

在另一名同樣專心吃票的司機的酒後駕車狀態中，車過大度路。大度路沒有站牌沒有紅綠燈，車速快得給插兩張翅膀就可以起飛了。那樣的速度裡，你看到那些老傷兵似的老樹們，裹繃帶般以稻草綑紮截肢後的枝幹，書上說它們是平成三年移來這裡的，如何沒有半點打算落地生根的樣子，除了少數還有小簇的綠葉，大多根

本已經變成標本模型了，就像紅樓那株苦楝樹下的白髑髏。

司機發現你目擊他的吃票，幾度猛煞車，大概想把坐在前座的你給撞昏滅口——四月出太陽的暖和日子，古都的某些向陽角落會有雪白的銀籠草，雄日芝也會在路邊竄出；五月梅雨前，檸檬黃花的大宵待草將會怒放，陰涼的山壁石牆縫會不管有沒有人欣賞的暗自綻放羊齒大唐米；六月紫花裰萩，荒地上可遍見亞美利加根無葛，大阪自動車道畔則是整坡谷黃菊似的豚菜；七月，紫花軍配畫顏登場，其實就是穿過林投黃槿海濱沙地上常見的馬鞍藤——司機沒能撞昏你，放你跌跌撞撞在日新町近太平町下車。

結果你把殖民地地圖給忘在車上了，車早揚長跑掉，你清點一下，丟的還有那頂使你看起來很像異國人的帽子，在錦市場的武田市買的過季 DAKS 漁夫帽，便也罷了。

市街看來像所有的重劃新興區，唯遠遠天際敞亮那方有橋，應該是淡水河上的台北橋，你依著腦裡重點地圖和一年三節會去辦南北貨的迪化街，緣街行。

甘州街上，紅磚洋樓夷為平地，不管它前身是光復大陸設計委員會或領有時期給人戒鴉片煙毒的更生院。你只得從四九巷入，巷子單側全是小攤，坐滿了吃客，都一齊從四神湯蚵仔煎裡抬臉望你，眼神既漠然又好奇，大約像你坐在 Doutor 裡打

古都

266

量香奈兒女郎的眼神。你手既未持地圖，裝束也平常，何以他們見漁人乃大驚，你硬起頭皮，閱兵似的逃到慈聖宮，廟埕寬闊但仍有好多攤子都抬眼望你，你只好假意瀏覽此廟，天啊半點不想入內，覺得它太醜了，好大一塊壓克力黃底紅字招牌好像它是一家店，雖然你很同情它的命運坎坷，百年來從艋舺逃械鬥逃到永樂町，再被市區改正遷至此，廟前被鐵柵圈住唯恐遭竊的石柱上的捐贈日是同治六年丁卯端午日。

走回太平町上，二一○巷口的大稻埕唱片行廢著，可能住著貓或鬼；第一劇場成了樓高十來層的大安銀行（城市，銀行嫖妓的基地，摩天大樓雜草式的亂長，萊特說）；你回頭去走北街，午後斜陽黃黃的漫進店裡，老闆假人似的坐著，賣著的無論農具、發粿、燈籠、金紙、菜籽也變得假假的，比較像什麼的博物館；虎標鼓亭前有人在洗刷好大的一頭古代英國牧羊犬，活的；三二一號大廢，被成了精怪的腎蕨雀榕牢牢吸附住；三四二巷過了的拱廊段，人去樓空，貼滿了痛罵新市長的標語，矢言「寧願任其倒塌，絕不配合保留」如三五八號。

回到熟悉的中街，你極力忍著不被騎樓下的南北貨干擾（除了在鴻川行買了半斤干貝和愛玉子，天啊隔壁的郭怡美難道又被搬去大度路了？！），努力欣賞瀏覽每家店面或巴洛克式或現代主義風格的立面設計，想辦法把整個市街看作六十多年前

郭雪湖畫的《南街殷賑圖》。你尋到畫裡的乾元元丹本鋪，原來就是常買參鬚和宋陳的乾元行，立面三樓的牛眼窗上環刻著人參圖樣，面磚洗石子壁縫裡抽長著開花中的馬纓丹、蕨和構樹幼苗，對門的八八號新益是二樓的列柱頭有外捲的葉片狀的柯林斯式，華麗的巴洛克風味留不住人，屋主是牆縫裡生意盎然的雀榕。

同樣的，你保存著世紀初立石鐵臣繪的《永樂市場小吃攤》印象，從霞海城隍對面的巷子轉往港町，因為二二八聖地現在是黑美人酒家，無法憑弔。

你行經舊時的六館街，想像著板橋林本源家阿舍出了大門就有人抬轎侍候，雙腳從未沾過街面。貴德街口，昔年兵庫縣人稻垣藤兵衛在此辦「人類之家」、「稻江義塾」，免費教育被殖民的貧苦兒童，現在是合作金庫（城市，銀行嫖妓……），復前行，欲窮其林，林盡水源，有倉庫也似的空屋一幢，二○年代林獻堂蔣渭水領導的文化協會每週六在此舉辦文化講座，現下灰泥牆上小孩們以粉筆畫著好幾盤的井字○×遊戲，其中一人不耐煩他的對手，寫著：莊家有個跟屁蟲……，廊下給遊戲的光腳們磨得好冰涼光滑。

你懷著好想脫光腳走路的心情走過李臨秋家，覓著茶香前往。勉強與隔鄰醜公寓一般高的是昔日大茶商陳天來仿巴洛克式的宅邸，往昔日本貴族來台必參觀之地，因被稱作「台灣人模範住家」，其二樓陽台可望見淡水河日落和船桅如林，如

今得把對面兩三幢公寓抹平、把環河快速道路和堤防拆除，才能明白陳天來當年怎麼會斥鉅資把寶貝房子建在這裡。總督垂垂老矣，有遠古的雙眼，它最發達的後人陳守山已退隱，料它能像黑面祖師一般物態何曾改、江山一古今這樣豁達嗎？

走出建昌千秋貴德街，一邊是砂石車和統聯客運轟然狂馳的環河快速道路，前行不遠就是現為幼稚園的辜顯榮宅；若回頭溯民生西路可到波麗路、江山樓，外公的黑白相簿裡，曾有一張同班同學的合照，二十幾人都著日式浴衣，相片下寫著攝於江山樓、昭和某年某月日，當時不知怎麼就感覺那是酒家之類的，好難為情向來嚴肅的外公怎麼會上酒家，而且和照片中人一般滿臉掩不住的大丈夫當如是耳。

江山樓，泉州府晉江縣人吳江山所經營，大正六年以台灣總督府和博物館的相同材料建成的四階料亭，現下是江山釣蝦場。

晉太元中，武陵人捕魚為業，緣溪行，忘路之遠近，忽逢桃花林，夾岸數百步，中無雜樹，芳草鮮美，落英繽紛，漁人甚異之，復前行……

然而你冒死穿過環河路（砂石車照例遇紅燈沒有半點減速煞車的意思），不知穿過小小的堤防水門外會是哪裡？

……山有小口，髣髴若有光，便捨船從口入，初極狹，纔通人，復行數十步，豁然開朗，土地平曠，原來是摩訶薩渡船的大稻埕碼頭，你很想借碼頭小辦公室上

廁所，但見連條狗影都沒有，無論人影。你便朝江畔走去。

江畔並無良田美池桑竹之屬，阡陌交通，遠處可聞雞犬，但這是哪裡？月迷津渡，霧失樓台，江上波光被偏西的太陽照得人眼睜不開，你便偏離岸邊向有桑竹處走去，因為害怕會見到浮屍。

桑竹處其實全是黃槿榕樹之屬，樹蔭下未有決心的東一處球場西一塊溜冰場，場邊貼滿白瓷磚公廁似的小廟拜著不明名號的神鬼，便敬鬼神遠之，儘管同時發現小廟隔牆確有一間寫著便所的公廁，你都不去上，也不解救其間正發生著的老頭強暴女童雞姦男童或壯婦誘惑少年等等排列組合的不倫罪行。於是你往遠處有種作男女人跡處行，種作男女衣著悉如外人，黃髮垂髫，怡然自樂，其實他們大多坐在樹下別人或自己棄置的破藤椅上，拍扇泡茶剔牙摳腳聽你分辨不出戲種的戲曲，任頭頂黃槿樹叢的毛蟲懸絲降落，黃槿樹的缺點就是這樣，老不時高高低低懸掛些毛蟲蜘蛛之屬，難怪一直給人髒兮兮的感覺。

男女見漁人大驚，雖未問所從來，你檢點自己已丟了殖民地地圖，臉上也無刺青紅字，他們何能認出你是異國之人？好幾年前，你帶著尚幼小的女兒去尚未拆遷的大安公園址，想告訴女兒你幼時生長的就是類此環境。才進村子，立即一雙雙像你父親同樣年紀的眼睛驚怒向你，問所從來，你自覺與村中同樣攜帶小孩的尋常少

婦無異，不知他們為何照眼認出你是外人？你只好老實回答。原來村中刻正如火如荼進行抗爭拆遷活動，以為你是記者或類此獵奇者，待明白了，便紛紛向你抒發訴苦，只是走前再再叮囑此中人語云，不足為外人道也。

但你確實與樹下男女不同語言，怕被認出，便蹣跚前行，因未鋪水泥地的地上大概不久前被漲潮氾濫的河水淹沒過，軟泥踩下可陷兩吋，肥潤的泥淖其味離薄，上有招潮蟹所吐的圓球擬糞殘渣，你果然聽到身後不遠有男女向你發言聲，你不理，執意往有陽光並有幾名少年在鬥牛的籃球場走去，不理他們是因為可能便要還家，設酒殺人作食，你一點也不意外，陽光明迷飽含水氣，不是有這樣的電影場景，一群絕不兇狠也並不良善的住民，漫長無聊的午後只好把一個闖入者、狗或人，給聯手宰殺了解悶兒，然後復又打個呵欠，繼續拍扇泡茶剔牙摳腳聽你分辨不出戲種的戲曲，並任毛蟲蜘蛛懸絲掉落頭頂。

先世避秦時亂，率妻子邑人來此絕境，不復出焉，遂與外人間隔，問今是何世，乃不知有漢，無論魏晉……

天空有直升機盤旋，大概在找江上浮屍；歐幾桑騎著老歐都拜嘟嘟嘟嘟放著黑煙迎面擦肩而過，大概也是接到通知去認屍；黃槿樹下換成一家野狗，俱仰臉望著你，既不吠，也不搖尾，連向來不存戒心的小奶狗也漠然望著你；大江對岸隱有高

271 古都

冗的送葬嗩吶聲；某處在焚草葉，散著人類懂得用火以來亙古的味道；籃球場上的鬥牛少年眨眼全都不見，一顆橘色的球還兀自彈跳在水泥地上；近高架道路了，愈發高聳如監獄圍牆似的灰牆，蕭淨得沒有半點塗鴉，沒有半點！

這是哪裡？⋯⋯你放聲大哭。

⋯⋯

婆娑之洋，美麗之島，我先王先民之景命，實式憑之。

一九九六年十二月

〈古都〉・廢墟・桃花源外

唐小兵

讀台灣作家朱天心近期的作品，尤其是像《想我眷村的兄弟們》（一九九三）和《古都》（一九九七），可以說是件讓評論家很為難的事情。道理很簡單，因為朱天心把話裡話外都說盡了，而且說得有聲有色，有根有據。不管是後現代、後結構也好，馬克思商品理論也好，虛構的方法和技巧也好，都被寫進了她的小說中去。這番耐人尋味的「理論自覺」，首先表現在她的敘事內容和對象上，更可以從她極富後設（或者說原虛構【metafiction】）意味的布局和敘述中觀察得到，以致她的小說敘事和理論論述間出現了一種親密的互為譯文的關係。而如此一手創作、一手點評的飽滿狀態，往往會搞得評論家多少有些手足無措，甚至不無黔驢技窮之窘。

朱天心對這種兼敘兼議的散文風格（又有人稱之為「百科全書小說」）（駱以軍）的操作，在〈古都〉這部中篇裡達到了揮灑自如、爐火純青的境地。但〈古

都〉的真正動人之處，又並不完全來自這種反諷性的、自我拆解的敘述策略。在這裡，朱天心整個的語調是抒情的，筆法是內省詢問式的，目光則是憂鬱型的。在「中年懷舊」這一大情感結構下，在在表現的是彌天的悲情，流露的是對集體的和個人的歷史失憶症的恐懼。緣起於一場對當代日益陌生的台北的銘心刻骨式憑弔，這篇關於無名的「你」的敘述，以縫合個人心理創痛為目的，但同時致力於開拓深遠的歷史想像空間，並且毅然把我們引入了一個龐大錯綜的都市潛意識區：這正是朱天心近期決心以人類學家的姿態「重新探險台北城市」（朱天心）的原始動機和歸宿，也是小說〈古都〉的感染力和美學及認知價值所在。

在進一步解讀〈古都〉及其政治潛意識之前，我想提及一下我讀朱天心時一個揮之不去的感覺，那就是她與大陸作家王安憶有很多可媲美之處，尤其是與王安憶近年以《長恨歌》為代表作的一系列「傷心的故事」（包括《香港情與愛》、《烏托邦詩篇》和《傷心太平洋》等）分擔著極其相似的歷史憂鬱感。甚至在敘事的自我意識和反諷機制這一層面上，朱天心的〈威尼斯之死〉（一九九二）和王安憶的〈叔叔的故事〉（一九九〇）這兩個中篇也都表現出令人驚嘆的遙相呼應。

如果在縱深的歷史譜系上，閱讀朱天心及其姊姊朱天文的文字時，離不開回眸將蒼涼淒美視為永恆的歷史的張愛玲，那麼在一個橫向的歷史連結上，朱天心和王安憶也

許都在書寫一個不再年輕、不復有激情的時代。中年人那種日漸壓抑下來的對鄉往的鄉往，以及對現實孤絕的叩問，成為這兩位幾乎同齡的作家共同的敘事視角和抒情起因。她們同樣以一種兼敘兼議的筆觸探索人物的內心世界，當代城市（台北和上海）同樣成為她們探索歷史和記憶的一大場景，甚至連她們的創作歷程，都可以說有某種相互映照的由簡而繁的同步變奏。而朱天心王安憶各自的關懷角度和敘述對象之間的差異，則無疑給我們這個時代與其歷史脈絡提供了一個很貼切的註釋。

在當代台灣文學與大陸文學之間，尤其是兩岸各自的城市文學之間，實在是很有進行比較文學研究的可能和必要。相對於常常淪為大而無當，或者不關痛癢的中西比較文學而言，就同一種語言的兩種文學形態進行歷史的對比參照，在我看來是大有可為的一項學術事業。

不過這話扯得有些遠了，希望以下結尾處能再收回來。這篇以讀〈古都〉為主的文章並不可能將朱天心和王安憶做一番系統的比較，但貫穿兩位作家近期作品的憂鬱意識和哀悼之情，揭示的也許是她們共同分享的歷史情境，是她們對歷史經驗與記憶極其相似的探尋和挪用。

朱天心所悉心探尋的是台北這座見證了荷蘭殖民者、明清朝廷、日人半個世紀的占領、國民黨統治、直至解嚴後新黨政爭的飽經滄桑的歷史名城；同時她也以極

其私密、喃喃耳語式的內心對白反照出一個都市人眼中密密麻麻、層層疊疊的生存空間，一個不斷引起傷痛、激起想像和回憶的現代大都會。主人公「你」顯然是一位來自中產階層的抑鬱的中年女性，置身在當代台北紛繁詭譎的街頭風景裡，她深深覺得二十年的擴建拆遷改變了她生於斯長於斯的城市，使她覺得一如流離失所的外鄉人，也使她不得不撫燦爛的青少年往事，幾近絕望地仰天叩問：「難道，你的記憶都不算數？」而日益高漲的本土化情緒和造勢，更使得寡言的她「從不停止的老有遠意、老想遠行、遠走高飛」。

正在此刻，她青少年時代親密無間的好朋友A從大洋彼岸的美國一紙傳真，直如起死回生，並約她到日本京都相會。「老想遠行」的主人公便懷了重溫昔日少年純情的意願，在一個凜冽的冬日，隻身來到她曾多次探訪的古城京都。當她又站回到四條大橋上時，一種如歸的親切油然而起，竟使她覺得「彷彿從未離開過」。也即從之一刻開始，小說宛如娓娓私語的親密敘述中穿插進了日本作家川端康成同名長篇小說《古都》的片斷。彷彿隨著主人公時斷時續、按圖索驥似地對照今日的京都閱讀川端康成，她有意無意間找到了把自己的經歷和記憶整理爬梳一遍的情致和語調，歷史的京都和眼前的京都彷彿毫無扞格地重合，更反射出台北的眼花撩亂、怪力亂神。將這段關於一對孿生姊妹千重子和苗子的故事直接插入小說敘事中，不

僅讓主人公與A的感情淵源有了一番重疊寫照的迷離，也給主人公在京都的盤桓平添了一層想像深度（王德威）。

在幽靜冷寂的京都街頭彳亍流連，主人公刻意體會營造的是憑弔故物舊跡的懷古之情。遲遲不捨離開之間，她回想起「那政爭慘烈醜陋的海島」，驟然意識到「你真不想回去呀」。儘管如此，儘管眼前的京都因為川端康成的故事而顯得寓意深遠，她卻不能不時刻想起那座使她迷失、使她傷心、但支配了她全部生命的城市。京都與台北的時空錯置只能使主人公更加完整動情地追憶已經消失或正在消失的村落、街道、幼稚園、電影院。同樣的時空張力，使她在回想自己情感生活的場景之外，也感受到大的歷史畫面的籠罩。從清朝到日治，從外來政權到新統治者，你們的綠色城牆，發現天啊那些百年荏苒又因為理直氣壯的開路理由一夕不見，你無一不曾裝扮擁有台北，無一不在建設的同時留下廢墟和斷裂。「當有一日你路過忽然大慟沮喪如同失了好友。」

由朱天心呼喚出來的主人公「你」，以個體化的文學語言和意象，表達出當代詩人、評論家林燿德極富洞察力的「都市廢墟本質論」。在林燿德看來，「歷史的幽魂並沒有顯靈在重建的台北之上，因為台北不是蓋在廢墟上的新城，卻更像是蓋在廢墟上的廢墟。城市的擴張取代了城市的其他意義。」在台北，正如當代所有急

速現代化的大都市，「偉大的廢墟循環系統已經預定好如何鏟除我們的明天。」在〈古都〉裡，對這斷壁殘垣的都市廢墟的考古，卻正如朱天心所立志要做的，是通過對「龐大複雜的潛意識區」的探險而完成的。這樣一個原始動機，很明確地被書寫進了小說敘述裡，那就是插入文本中的一段典型的描寫他境（heterotopia）的佛洛伊德引文（朱天心）。

緊接著這段引文，小說為主人公，也為我們，設置了一個標準的「心理分析家的靠椅」：

有一種天氣是你喜歡的，草木鮮烈，天空蔚藍，陽光炫目，而你恰巧在空調涼颼颼的室內、車內或咖啡館或臨窗的屋裡，便容易讓人失去現實感，以為外面也是如此的氣溫，冷，再加上反差極大的光影，就以為自己置身在某個你想去或曾去過的國度。（朱天心）

這個記憶與想像的幻境只在你「失去現實感」的時刻方才出現，亦即只有在心理分析意義上的「超自我」被暫時懸置的時刻，才敞開它諱莫如深的門戶，並且讓你覺得溫馨可感。而當代台北使女主人公最感壓抑之處，正在於體驗這個幻境的機會和

條件愈來愈珍貴稀少，也就是現實的擠壓愈來愈不可逃避。「除了平日不得不的生活動線之外，你變得不願意亂跑，害怕發現類似整排百年茄冬不見的事，害怕發現一年到頭住滿了麻雀和綠繡眼的三十尺高的老槭樹一夕不見……你再也不願走過那些陌生的街巷道，如此，你能走的路愈來愈少了。」這是一個無處不在擴建、無處不在消失的城市，一個不斷製造奇蹟的同時也製造廢墟的消費文明。

至此，我們也許會恍然悟得這篇作品後面周密的匠心運思。小說的敘述結構，複製的是心理分析家面對患者／主體的誘發式敘談縷述，目的是要通過喚起記憶，引起自由聯想，從而辨認出受壓抑的欲望，甚至期望進入那一片不定無形的潛意識區。因此小說一開始，便以 I. V. Foscarini 一段關於「我」對於「你」的依戀的引文，以及對於「你」的記憶的召喚式詢問（「難道，你的記憶都不算數……」），暗示出你我難分難解，也確立了小說探求主體構成、挖掘心理深度這樣一個基本主題。這裡一貫到底的「你」實在是憑空喚出，是讀者自身，是對所有面對並進入這篇作品的你我他的尋呼啟發；而〈古都〉的意義，正在於提供了一個「想像的傾聽者」，用耐心而同情的沉默來幫助開拓和釋放讀者共有的潛意識區。因此整篇作品是書寫一份心理分析意義上的「個案研究」，記錄的是潛意識的文本，是試圖編織的是潛意識的文本，是通過談話而逐漸浮現的「你」的自我意識。因為抑鬱而失聲無言的「你」是小說的

的主人公，也是小說敘述過程所營造的自我意識，是被敘述被塑造的開放型主體。

散見於〈古都〉裡的互不連貫的引文，其實是對這部小說本身結構的進一步註釋。除了川端康成的《古都》伴隨著主人公（或者更準確地說是「被敘述、被喚起的主體」）在京都的滯留，除了後半部分中反覆引申、主題音樂式漸行漸強的〈桃花源記〉，小說還龐雜地援引了包括歷代文獻、殖民記載、地方縣志，以及勞倫斯、梭羅、萊特和佛洛斯特等作家筆下的文字。這一系列引文無疑是用來刻意標識出〈古都〉後面龐大複雜的「文本潛意識」，同時也很貼切地鏡照、提示出小說中另一盤根錯節的引文系列，那就是對街道地名的旁徵博引，形成了「鋪覆街道輿圖的那許多撥弄著記憶錯亂的名詞」（駱以軍）。

由不同的時代和政體前前後後積存下來，而且絕大多數已經蛻變為空洞的名詞符號的街名地名，彷彿一個個從「都市潛意識」的深處冉冉升上來的氣泡，在台北的上空飄浮縈繞不去。或者我們也可以用佛洛伊德曾使用過的一個概念來描述這類浮游不定的符號，那就是紊亂無序的「記憶遺跡」（memory-trace）。儲藏在潛意識區的記憶遺跡是沒有時間也沒有條理的，而〈古都〉所要做的，正是通過條分縷析這一堆記憶錯亂、所指迷失的名詞，從而使得龐大複雜的都市潛意識有可能依次浮現，並且逐漸變得清晰可辨。這也正是心理分析的基本出發點和信念。

一旦意識到那飄浮的記憶錯亂的名詞其實是在不連貫地拼寫或者攪亂著記憶的內容，回憶本身也就愈加明確地成為無可奈何的憑弔，正像都市潛意識所承載的，最終必然歸結為「蓋在廢墟上的廢墟」以及被掩埋其間的憧憬與情欲。隨著一個屬於過往的「悲情城市」漸漸浮現在記憶的甬道裡，眼前日新月異的都市則相應地變得遙遠而無法辨認；而「一個陌生的城市，何須特別叫人珍視、愛惜、維護、認同……」（朱天心）？至此，對潛意識區的探險和書寫，在敘述過程中水到渠成地變為對歷抑過程，或者說遺忘機制的質疑和譴責。

在這個層面上，與其探究〈古都〉中「艾略特《荒原》式的懷舊哀傷與對台北都會符號飄遊的戀字癖，戀物癖形成自我分裂」（駱以軍），不如面對並承認這一層懷舊情緒裡包含的批判意識。例如在省市長大選後的次日，主人公獨自來到「蕭條的昔日兒童樂園前」，無意中發現了草叢中的一塊石碑，上刻：太古巢舊址。這一段認指清朝遺跡的碑文，觸發一段歷史敘事，更給她帶來了如此驚心動魄的啟迪：

你望望身旁並肩在讀碑文的陳維英老鬼魂，說不出一句話。像是一則各種年老民族必定會有的那類寓言，你們曾經不具任何知識、歷史知識，與它愉悅自然

當然包括你的一部分。

地相處過活，待有一天你具備了了解它的知識，並略覺愧疚地重新善待它（雖然你以往對它也傾心相待），但它再也不一樣了，與過往不一樣了，這，難道又只是人或民族必定會有的中年懷舊？……你帶著哀悼的心情走避，死去的，

正是在這樣一個「你與更多的老年楓香都將加入陳維英隊伍」的時代，在這個「獨獨不提過往，過往很像那些被移植或砍掉的茄冬和楓香」的城市，主人公直覺得自己正是「晉太元中武陵人捕魚為業……」。由此，我們進入了一個「桃花源外」的想像空間，而主人公也就在A失約後空空如也地飛回台北，並將錯就錯地扮成日本遊客，拿了舊式日人地圖，鬼使神差地在理應屬於自己的城市裡尋找先她而死的過往。

這裡我們的視角和關注不再集中在那「不知有漢，無論魏晉」的幸福桃源中人，那一片理應是雞犬相聞、阡陌交通的田園景色，也一換而成兇險凌亂、高架往復的都市風景。對孤獨的迷路人的主體意識的體會和認同，取代了對世外桃源的想像。所謂「桃花源外」空間，不單是指烏托邦竟成反烏托邦，憧憬竟成夢魘，同時也承認「忘路之遠近」的捕魚人不再因為「芳草鮮美，落英繽紛」的場景及外觀而像。

古都

282

驚異、而尋覓、而進入幻境。「桃花源外」是迷失的漁人在一片太平景象中痛感自己家園的遙遠，是漁人面對操不同語言的桃花源居民深覺恐慌，最終是參差的歷史記憶對歷史終結完滿論的挑破：「這是哪裡？……你放聲大哭。」

這場「放聲大哭」，來自走投無路的歷史亡靈，雜糅了潛意識上升到意識層面時迫使主體所體驗的誤認、震驚和絕望。朱天心所要探險的都市潛意識，終於在此刻爆發出來，以「他／她者的語言」形式，宣告了當代都市文明的貧乏與瘠結所在。至此，朱天心所完成的，不啻是對台北古都潛意識的多層次書寫，也是中文現代城市文學中極富創新意義的一部力作。《古都》一書中所收的其他篇目也都以這樣那樣的方式力求進入都市潛意識（例如通過咖啡館的變遷〈威尼斯之死〉，嗅覺所儲藏的記憶〈匈牙利之水〉，身分與身分證的關係〈拉曼查志士〉等等），與朱天文一九九〇年結集出版的《世紀末的華麗》有諸多美學與意識形態上的共鳴之處（在〈威尼斯之死〉中，作為小說家的敘述者直接引述《世紀末的華麗》，稱其為「我近年看過最恐怖的作品」）。不同的評論家早已指出朱天文在《世紀末的華麗》中是以與頹廢的當代都市並行不悖的感官語言來描寫城市外殼，〈古都〉這部中篇卻直接以都市空間及其廢墟場景作為潛意識的形式和內容，用反覆塗寫、引申的敘述文本，縱深的歷史掃描來複印當代台北的政治文化潛意識。

對於朱天心都市小說的這一現實政治文化層面，台灣暨南大學的黃錦樹先生有極為精采的評議。「都市化——持續的、不可避免的都市化讓本土論述奉為命根的台灣性，也在世界化的過程中被抽離、分割，而失卻了物質基礎」，而朱天心的「老靈魂」們對日常城市生活表象之下廢墟的挖掘，正是要在一個全息般深深淺淺的記憶空間裡，把任何關於正統身分、政治創傷的神話消解還原為神話，因此她「唱反調式的敘事結構勢必讓她遭受本土論者的意識形態撻伐」。

對於本土論神話的超越，辯證地幫助朱天心達到了再現現代都市文明的一個新高度。當黃凡和林燿德在八十年代末期預言「都市文學業已躍居八十年代台灣文學的主流，並將在九十年代持續其充滿宏偉感的霸業」時，他們所展望的正是都市文學在形式意義上的輝宏多姿，因為都市文學的發達，往往要以意義的純潔和形式的直率為代價為犧牲。又因為都市的意義恰恰是對桃花源的否定，所以都市文學必然是擺脫了桃花源情結的，屬於「桃花源外」空間。

在這個意義上，朱天心和王安憶成為真正的同時代作家，也就是說她們同屬於二十世紀晚期以悲天憫人的「廢墟意識」來對現代社會重新觀照、重新發掘的時代，她們又都在各類歷史大說之後找到了「日常生活」這個儘管殘損、卻無法超越的經驗方式和內容。後者一九九五年完成的《長恨歌》，以大上海半個世紀的歷史

圖景為襯托，極其細膩地追述一個平凡都市女人的情感史，從而凸顯出被歷史大說所遮蔽包裹的日常生活以及最終無法逃避的生老病死。在小說的最後一刻，當昔日的上海小姐王琦瑤頗具荒謬色彩地死於非命，敘述者告訴我們那是八十年代某一個春日的深夜，萬籟俱寂，誰也不知道發生了什麼事。

只有鴿子看見了。這是四十年前的鴿群的子息，它們一代一代的永不中斷，繁衍至今，什麼都盡收眼底⋯⋯它們盤旋空中，從不遠去，是在向這老城市致哀。新樓林立之間，這些老弄堂真好像一艘沉船，海水退去，露出殘骸。

當我們把朱天心和王安憶關於城市的作品放在一起閱讀時，儘管都浸透著對舊都的哀悼悲情，儘管都有一種擺脫了青春期之後的寬懷和細密，我們卻不難辨認出各自的歷史淵源和思考緯度來。這裡我既無意將兩位作家排一番名次優劣，也不可能就台灣和大陸當代文學進行任何系統的對比，我們所能看到的，卻是作為一種主觀情緒或者心理狀態的「憂鬱感」，在朱天心和王安憶那裡都轉化為探尋歷史的原動力，轉化為釋放想像的詩意語言，雖然歷史本身往往並不能幫助她們從憂鬱中解脫。

一旦了解到〈古都〉所觸及的種種令人焦灼的話題、情懷、事件和變遷，這部作品本身所包含的地緣和歷史的張力也就更加富於深意。惟有從古都一座平靜安詳的 Doutor 咖啡館來隻身遙想「政爭慘烈醜陋的海島」，惟有在記憶的版圖上把台北這座「廢墟上的廢墟」一層一層地剝離，也惟有以外人的身分來痛哭這沒有了歷史記憶的桃花源，文中被敘述的主體才真正一點一滴地流露出她和台北互為主體、互為文本、愛恨交織的依託關係。對廢墟古都的發掘，不僅僅是為了悼亡而悼亡，為了懷舊而懷舊，更是為了在未來的集體潛意識裡，寫進蕪雜、殘破的歷史斷層和積澱。「屬於女兒的時代，她會記得的，或她會為它的不在而驚慟的，會是什麼？會是什麼印在她的心版上？」

如果女兒在主人公的生活中可以使冥冥的未來日趨接近而且真實得可怕，那麼丈夫則代表了使人無法再感覺親切熟悉的現實，是無可挽回的情感離異。結婚二十年的丈夫，顯然在高漲的本土意識裡找到了新的激情，甚至性欲。「你看到他與周遭幾萬張模糊但表情一致的群眾的臉，隨著聚光燈下的演說者一陣呼喊一陣鼓掌，陌生極了……當晚，你丈夫亢奮未歇地積極向你，用異於平常的動作和節奏，你被撥弄著，黑裡仍然不肯掉眼淚。」

在你我肅然有別的認同政治裡寫進性別，寫進暗夜裡的性事；在一切以「政治

正確」為準則的年代，寫進遊戲態度，寫進野史軼事，這是〈古都〉敘述策略中積極、現實的方面；對台北幽靈極度憂鬱的詢喚，對深層古都充滿矛盾心理的書寫描圖，卻是以「否定性的辯證法」來擁抱未來，是對未來台灣的記憶遺跡的堅韌開發和積累。惟其如此，當主人公迷失在桃花源外的淡水河畔，驚恐之中不由放聲大哭之際，一個遙遠而莊重的超越主體「我」緩緩升起，並把讀者帶向一個廣博深厚的歷史觀照空間：

婆娑之洋，美麗之島，我先王先民之景命，實式憑之。

至此，〈古都〉方才完成了對開篇引文中借 Foscarini 之口所表達的幽婉的思念情懷（「沒有你，親愛的，我孤獨難耐」）的說明和充實。至此，「你」的記憶，遙想中的古都，俯瞰下美麗的台灣島終於形成剪不斷、理還亂的意義鎖鏈，也就成為未來任何、所有的「我」必須依託把握的書寫契機。

（本文作者為香港中文大學文學院院長）

附錄一 《古都》得獎紀錄

獎項	年份
新聞局圖書出版金鼎獎（文學創作類）	一九九七年
聯合報讀書人最佳書獎（文學類）	一九九七年
中國時報開卷年度十大好書	一九九七年
第二十一屆時報文學獎推薦獎	一九九八年
第三屆台北文學獎	二〇〇〇年
入選《亞洲週刊》二十世紀中文小說一百強	二〇〇〇年

附錄二
《古都》相關評論及訪談索引

■〈老靈魂前世今生——朱天心的小說〉，王德威。《聯合文學》十三卷八期，頁34-45，1997/06。

■〈評《古都》——記憶的追尋之旅〉，梅家玲。《中國時報·開卷週報》，四十二版。1997/06/12。

■〈身分認同辯證 vs.空間政治〉，邱貴芬。《聯合報》，五十一版，1997/06/16。

■〈絕望的反射——評朱天心《古都》〉，張誦聖。《聯合文學》十三卷十期，頁183-184，1997/08。

■〈朱天心：我不屬於台灣，要屬於哪裡？〉，陳光達。《新新聞》五五九期，頁90、93-94，1997/11/19-24。

■〈故鄉永恆的過客——探索朱天心的《古都》〉，沈冬青。《幼獅文藝》五二八期，頁21-31，1997/12。

■〈歷史天河裡的癡心——作家朱天心專訪〉，林素芬。《幼獅文藝》五二八期，頁5-11，1997/12。

■〈在城市流亡的老靈魂——聽朱天心說說話〉，季欣麟。《遠見雜誌》一四一期，頁144-148，1998/03。

■〈展望當代台灣女性文學新視野——以朱天心近期小說為例〉，楊惠婉。《台灣人文》（師大）二期，頁1-17，1998/07。

■〈當歷史變成地理——朱天心的〈古都〉〉，王德威。《城邦閱讀》七、八月號，頁18-19，1999/08。

■〈遺失地址的理想國——朱天心小說中的記憶烏托邦〉，陳國偉。《淡水牛津文藝》一期，頁45-71，1998/10。

■《朱天心《古都》》，王仲偉。《1997台灣文學年鑑》，頁269-270。行政院文建會，1998。

■〈永恆的異鄉人——論朱天心的《古都》〉，陳怡華。台灣文學比較研究網站〈台灣文化研究議題〉線上論文http://www.fl.nctu.edu.tw/~joyceliu/TaiwanLit/

■ online_papers/JuTianShin.html，1998/07。

■〈多重互文、多重空間——論〈古都〉中的文化認同與文本定位〉，楊如英。台灣文學比較研究網站〈台灣文化研究議題〉線上論文http://www.fl.nctu.edu.tw/%7Ejoyceliu/TaiwanLit/online_papers/multispacehtml，1998/10。

■〈古都讀後感〉，單維彰。http://www.math.ncu.edu.tw/~shann/Lite/book/gudu.html，1998。

■〈朱天心：不再有鄉愁的年代〉，季欣麟。《遠見雜誌》一五二期，頁130-131，1999/02。

■〈朱天心：不願噤聲的老靈魂〉，賴素鈴。《民生報·讀書周刊》，1999/04/08。

■〈小說和地理的關係——以朱天心的〈古都〉為例〉，黃錦樹主講，李文冰記錄整理。《幼獅文藝》五四五期，頁27-31，1999/05。

■〈族群激情之後：試析朱天心〈古都〉中認同問題的危機和轉機〉，邵毓娟。《文山評論》一卷三期，頁155-176，2000/03。

■〈記憶の意味靜かに問う〉，荒川洋治。《朝日新聞》，2000/08/05。

■〈對決を回避するユーモア〉，堀江敏幸。《讀賣新聞》，2000/08/06。

■〈失われゆくものへの思い〉，澤井律之。《讀書人》，2000/09/01。

■〈私が私でいるために〉，星野智幸。《ハイファッション》，2000/10。

■〈朱天心的台北：地理空間與歷史意識〉，彭小妍。中研院史哲所「空間、地域與文化——中國文學與文化書寫」國際學術研討會。2000/11。

■〈《古都》的都市空間論述〉，桑梓蘭。中研院史哲所「空間、地域與文化——中國文學與文化書寫」國際學術研討會。2000/11。

■〈日本人看朱天心的《古都》〉，張季琳。中研院史哲所「空間、地域與文化——中國文學與文化書寫」國際學術研討會。2000/11。

■〈Between Temporal and Spatial Transformations: An Ancient Capital City at the End of Time〉，周英雄。《Tamkang Review》三十二卷二期，頁51-70。2000/12。

■〈《古都》‧廢墟‧桃花源外〉，唐小兵。《書寫台灣：文學史、後殖民與後現代》，頁391-402。周英雄、劉紀蕙編。麥田，2000。

■〈一種張皇的姿態──從朱天心《拉曼查志士》與駱以軍〈降生十二星座〉中的「被詮釋焦慮」談起〉，楊佳嫻。《中央日報》，二十版，2001/01/22。

■〈「あなた」の記憶と「まち」の歷史〉，濱田麻矢。《東方》二四○號，2001/02。

■〈〈匈牙利之水〉導讀〉，廖朝陽。《文學台灣》三十八期，頁157-160，

■〈城市修行的老靈魂——朱天心〉，趙啟麟。博客來網路書店〈編輯頻道〉作家
顯影，http://www.books.com.tw/editorial/author/20203141415all.htm，2001/07/13。

■〈災難與希望：從〈古都〉與《血色蝙蝠降臨的城市》看政治〉，廖朝陽著，王
志明初譯。《台灣社會研究》四十三期，頁1-39。2001/09。

■〈族群和諧與去殖民化的並行〉，游勝冠。《台灣日報》，二十五版，
2001/09/03。

■〈城市是現實的鏡子——談王安憶、朱天心、黃碧雲的小說〉，南方朔、蔡詩
萍、駱以軍座談，吳億偉記錄整理。《中國時報》，三十九版，2001/10/26-27。

■〈朱天心小說的時空座標〉，吳雅慧。中興大學中文研究所碩士論文，2001。

■〈古都新城——朱天心「古都」的空間結構之研究〉，賴奕倫。《文訊》二〇六
期，頁44。2002/12。

■《記憶之書——導讀朱天心《古都》日文版〉。清水賢一郎著，張季琳譯。《中
國文哲研究通訊》，頁173-179。2002/03。

■〈眷村再見／現：試析朱天心作品中戀物式主體建構〉，邵毓娟。《中外文學》
三八二期，頁99-122。2004/03。

■〈記憶的羊皮書卷——朱天心《古都》的臺北地景考略〉，賴奕倫。《中國現代文學》二卷三期，頁103-131。2004/09。

■〈消逝、重塑、轉換——論朱天心的城市書寫〉，彭婉蕙。《中極學刊》四期，頁203-221。2004.12。

■〈歷史創傷、精神危機、自我救贖／放逐：論朱天心與王安憶的都市書寫〉，陳建忠。《清華中文學林》第一期，頁135-163。2005/04。

■〈迷走我城，八方洪荒——試析朱天心〈古都〉裡女性與鬼魅的聲音〉，張琬貽。《清華中文學林》第一期，頁165-176。2005/04。

■〈恆常與無常：論朱天心〈古都〉中的空間、身體與政治經濟學〉，邱彥彬。《中外文學》四一二期，頁57-94。2006/09。

■〈形式之寓意——論朱天心〈古都〉的敘事策略〉，劉雪真，《東海中文學報》二十一期，頁201-230。2009/07。

■〈一場華麗的地景閱讀——朱天心〈古都〉中的臺北漫遊〉，劉向仁。《國文新天地》二十期，頁24-30。2009/10。

■〈共在虛實間：論朱天心〈古都〉中的記憶與共群〉，李鴻瓊。《文山評論：文學與文化》四卷二期，頁1-36。2011/06。

■〈從巴黎到京都：論史考特《我的巴黎》、朱天心《古都》中的互文性斷裂與歷史幽魂〉，傅友祥。《臺灣文學研究集刊》十二期，頁123-145。2012/08。

■〈記憶、現實、理想城市之想像──論朱天心〈古都〉的城市書寫〉，闕慧蓉。《國文天地》三八一期，頁91-95。2017/02。

朱天心作品出版年表

書名	文類	版本
《方舟上的日子》	短篇小說集	一九七七・言心 一九七九・時報 一九八八・三三 一九九一・遠流 二〇〇一・聯文
《擊壤歌》	長篇散文	一九七七・長河 一九八一・三三 一九八九・遠流 二〇〇一・聯文
《昨日當我年輕時》	短篇小說集	一九八〇・三三 一九九二・遠流 二〇〇一・聯文

書名	類別	出版資訊
《末了》	中篇小說	一九八二·聯經 二〇〇一·聯文
《台大學生關琳的日記》	短篇小說集	一九八四·三三 一九八七·時報 二〇〇一·聯文
《時移事往》 （原名：台大學生關琳的日記）	短篇小說集	一九八九·三三 一九九二·遠流
《我記得……》	短篇小說集	一九八九·三三、遠流 二〇〇一·聯文
《想我眷村的兄弟們》	短篇小說集	一九九二·麥田 二〇〇二·印刻
《下午茶話題》	雜文合集	一九九二·麥田

《學飛的盟盟》	散文集	一九九四·時報 二〇〇三·印刻
《小說家的政治周記》	評論集	一九九四·時報
《古都》	中、短篇小說集	一九九七·麥田 二〇〇二·印刻
《古都》（日譯本）	中、短篇小說集	二〇〇〇·國書刊行
《漫遊者》	短篇小說集	二〇〇〇·聯文
《二十二歲之前》	短篇小說集	二〇〇一·聯文
《獵人們》	散文集	二〇〇五·印刻

INK PUBLISHING 文學叢書 10 古都

作　者	朱天心
總編輯	初安民
責任編輯	陳健瑜
美術編輯	黃昶憲
校　對	呂佳真　陳健瑜　朱天心

發行人　張書銘
出　版　INK印刻文學生活雜誌出版股份有限公司
　　　　新北市中和區建一路249號8樓
　　　　電話：02-22281626
　　　　傳真：02-22281598
　　　　e-mail：ink.book@msa.hinet.net
網　址　舒讀網http://www.inksudu.com.tw

法律顧問　巨鼎博達法律事務所
　　　　　施竣中律師
總代理　成陽出版股份有限公司
　　　　電話：03-3589000（代表號）
　　　　傳真：03-3556521
郵政劃撥　19785090 印刻文學生活雜誌出版股份有限公司
印　刷　海王印刷事業股份有限公司

港澳總經銷　泛華發行代理有限公司
地　址　香港新界將軍澳工業邨駿昌街7號2樓
電　話　(852) 2798 2220
傳　真　(852) 2796 5471
網　址　www.gccd.com.hk

出版日期　2002年6月　　　初版
　　　　　2024年3月12日　初版十一刷
　　　　　2024年12月　　　二版一刷
ISBN　978-986-387-781-3

定　價　380元

Copyright © 2024 by Chu Tian Hsin
Published by INK Literary Monthly Publishing Co., Ltd.
All Rights Reserved

國家圖書館出版品預行編目資料

古都／朱天心著.--二版. --
新北市中和區：INK印刻文學, 2024. 12
面；公分.--（文學叢書；10）
ISBN 978-986-387-781-3（平裝）

863.57　　　　　　　　113016822

舒讀網